Yveline Gimbert

L'œil de l'auberge

roman

D0582108

L'ŒIL DE L'AUBERGE

Yveline Gimbert

L'ŒIL DE L'AUBERGE

ÉDITIONS FRANCE LOISIRS

Édition du Club France Loisirs,
avec l'autorisation des Éditions L'Archipel

Éditions France Loisirs,
123, boulevard de Grenelle, Paris.
www.franceloisirs.com

© L'Archipel, 2009
ISBN : 978-2-298-02579-8

À Jean, dont le souhait est exaucé

1

En mars 1944, après trois semaines d'une douceur presque estivale, l'hiver s'était brusquement rappelé au souvenir des gens de la Valny. Le 18 au soir, la température avait chuté et la bise s'était levée. Et le 19 à l'aurore, un gros grésil, qui ressemblait plus à une neige de décembre qu'à une giboulée de saison, surgit d'un ciel bas et noir. À travers les grands tourbillons opaques, on n'apercevait que les tuiles rouges des toits des villages – et encore fallait-il avoir bonne vue ! Ce jour-là, les habitants de la vallée restèrent chez eux, surpris par le retour soudain et l'intensité de la tempête. Amélie Viscomte ne reçut dans son Auberge du lac que deux voyageurs courageux et son voisin Robert Laurent. À neuf heures du soir, alors que la bise s'engouffrait dans la cheminée et avivait les flammes, ce dernier était encore là. Avec son père Gaby, ce paysan de quarante-quatre ans habitait la ferme la plus proche, située à environ huit cents mètres de l'auberge d'Amélie. Leur cheptel était petit ; il subsistait grâce au travail du père, le fils étant plus souvent occupé à boire du vin qu'à labourer les terres ou à traire le bétail.

Si Amélie avait autrefois apprécié la présence de Robert dans son auberge, ce n'était plus le cas depuis qu'elle avait décelé ses vils penchants et sa vraie nature. L'homme était oisif, sournois, coléreux. Depuis qu'on l'avait aperçu discutant au coin d'une rue de Lieudieu avec des membres de la Milice, elle le mésestimait plus encore. Personne ne pouvait toutefois le soupçonner de délation envers les maquisards, puisque dans la contrée aucun d'eux n'avait été dénoncé. Des maquis étaient pourtant établis dans la campagne environnante – en particulier autour du lac de Chazelle, un maar étendu entre les anciens volcans. D'autres peuplaient les combes et les forêts profondes où les cachettes étaient sûres.

En Valny, des habitants hébergeaient discrètement les réfractaires au STO, mais Robert Laurent ne faisait pas partie du lot. Amélie Viscomte, oui !

La veille, Jules Brossier, chef du secteur de Lieudieu, avait ainsi amené un jeune maquisard à l'auberge. En vertu d'un motif qu'il avait tenu secret, il devait attendre le surlendemain pour conduire le résistant au maquis du lac. Bien qu'ennuyée, Amélie avait accepté de cacher l'homme dans sa cave. Elle n'était pas femme à entraver l'action des résistants. Deux jours, ce n'était pas si long, et ce n'était pas non plus la première fois qu'elle prenait des risques ! Or, ce soir-là, la présence de Robert Laurent l'inquiétait. Il avait bu plus que de coutume et laissé entendre qu'il avait appris la présence du maquisard. Mais comment cela aurait-il pu être possible ? Aurait-il aperçu Brossier et son protégé lors de leur arrivée ? La chose était plausible : il n'y avait pas plus fouineur et curieux que Robert ! N'y tenant plus, Amélie lança :

— Tu devrais rentrer chez toi ; tu as vu le temps qu'il fait ?

Le paysan lui accorda un regard vitreux et parut hésiter avant de répondre :

— Oh oh ! La route n'est pas bien longue jusqu'à chez moi, et ce n'est pas ce grésil qui va m'empêcher de retrouver mon chemin ! Pourquoi es-tu si pressée que je m'en aille ?

Appuyé au bar, il avait les yeux plissés et la tête enfermée dans ses mains. Elle, avec sa gravité habituelle, l'observait. Fâchée du ton qu'il avait employé, elle l'apostropha :

— Ton pauvre père a sûrement besoin de ton aide, et toi tu restes là à boire plus que de raison !

— Il se débrouille sans moi, le vieux ! Pour ce qu'il me donne comme sous, l'aide que je lui apporte est suffisante : juste de quoi payer un canon !

— Tu en es au dixième !

— Et alors ? Je te paierai, l'Amélie ! Puisque tu ne me fais plus crédit…

Il lui jeta un coup d'œil haineux. Amélie l'évita en retournant à sa vaisselle, mais elle sentait encore son regard dardé sur son dos. Elle songea au temps où elle faisait crédit au paysan. De l'argent perdu, car il ne le lui rendrait pas… Dernièrement, il avait même eu l'audace de lui réclamer un acompte sur le travail qu'il prévoyait d'effectuer dans son jardin, comme les années précédentes. Mais chaque fois, Amélie avait dû repasser après lui ! Ce soir, elle pressentait qu'il ne tarderait pas à renouveler sa demande. Cela ne manqua pas :

— Tu peux me faire une avance pour le labour de ton jardin ? J'en ai besoin.

— Et moi, je n'ai pas besoin de toi : mon jardin, je m'en débrouillerai toute seule !

Il demeura un instant silencieux. Elle ne se retourna pas pour le regarder, imaginant fort bien son air venimeux. Puis elle l'entendit lancer :

— Dis donc, la vieille, t'aurais pas un amoureux qui te ferait ton jardin, par hasard ? Je me souviens que je l'avais trouvé bien entretenu l'année dernière : c'est-y toi qui travailles si dur ?

Machinalement, elle leva ses yeux bruns vers les poutres du plafond. Ce fut un coup d'œil furtif mais plein d'une douce lueur. Son regard semblait sourire à quelqu'un qui se serait tenu là-haut. Elle sortit les mains du baquet et les essuya tout en faisant face au paysan.

— Cesse donc de te poser des questions et rentre chez toi. Je ferme !

Il se redressa. La pointant du doigt, il siffla :

— Toi et tes secrets, l'Amélie ! Mais je les connais tes secrets, va ! Et tu ferais bien de m'écouter si…

Les mots butèrent sur sa langue et s'évanouirent dans sa gorge. Elle eut envie de demander : « Si quoi ? » Mais elle se ravisa, presque sûre qu'il ne se doutait pas de la présence du maquisard dans sa cave, sinon ses allusions auraient été tout autres. Mais il était si fourbe, le Robert ! Se doutait-il d'autre chose ? Elle chassa ses craintes et pensa : « Qu'il aille au diable, cet abruti ! » Robert quitta le comptoir et se dirigea vers la porte. Il tituba en traversant la salle et ricana en passant devant le cellier sous lequel se trouvait la cave. Amélie tressaillit, prise d'un mauvais pressentiment. La porte claqua et l'aubergiste demeura un instant immobile derrière le bar, respirant doucement l'air glacé entré dans la pièce aussi vivement que son voisin en était sorti. Mais après quelques minutes de réflexion, elle se ressaisit. S'il avait su quoi que ce soit, sous l'effet du vin, il aurait parlé !

Elle traversa la salle et regarda par la fenêtre. L'allée principale était éclairée par la lune, qui venait tout juste d'émerger d'une grosse masse nuageuse poussée vers le sud par la bise. Il n'y avait d'autres silhouettes que celles des platanes géants penchées sur le gazon. Et celle de la pile droite du porche, qui se détachait curieusement sur l'écran noir de la nuit. Amélie pensa que Robert Laurent avait contourné l'auberge pour prendre le raccourci qui menait chez lui. Elle tira le rideau, se précipita dans la cuisine et sortit des placards quelques provisions qu'elle déposa dans un panier d'osier. Puis elle gagna le cellier, tirant la porte derrière elle. Là, elle souleva la trappe et descendit à la cave par un escalier de bois. Une faible lumière venant du bas lui permit de distinguer les marches qui s'enfonçaient sous le cellier. Avant d'atteindre la deuxième, elle souffla :

— Ce n'est que moi. Je vous apporte de quoi vous remplir l'estomac.

Un homme, tout jeune et gracieux, vint à sa

rencontre. Il lui prit doucement le panier des mains et siffla en examinant son contenu. Puis il murmura :

— Ce n'était pas la peine, vraiment. Pourtant, si vous saviez combien ces victuailles sont les bienvenues !

Elle répondit par un sourire qu'il ne vit pas. Il s'était rendu dans le fond de la cave où trônait une vieille table. Il y déposa le panier après avoir poussé sur le côté quelques objets personnels. Il sortit le pain et le saucisson. Tout en découpant de bonnes tranches, il dit :

— J'espère que je ne vous cause pas trop de soucis !

— Mais non ! Ne vous tracassez pas et mangez d'un bon appétit. La paillasse vous convient-elle ?

Elle avait tourné les yeux vers la droite, là où, trois mois plus tôt, pour un autre maquisard presque aussi jeune que celui-là, elle avait installé un vieux matelas de laine. Elle l'avait laissé là, prévoyant qu'il pourrait resservir si Jules Brossier faisait de nouveau appel à elle. Certes, elle redoutait cette demande, car si les miliciens venaient à l'arrêter, sans elle, que deviendrait « Il » ? Pourtant, quand les deux occasions s'étaient présentées, elle n'avait pu refuser, trouvant là une belle manière de militer pour la délivrance de la patrie. Chaque fois, elle avait compté sur la chance et sur la protection de Dieu, pour peu qu'Il existât.

— Tout est parfait. Je vous en remercie, madame Viscomte.

Elle le contempla un moment. Elle le connaissait : il était de Lieudieu et était venu quelquefois à l'auberge. Là, dans la lumière pâle, sa jeunesse et sa beauté l'éblouissaient. Elle ne put s'empêcher de ressentir une émotion très forte et d'avoir une pensée pour « Il ». Mais, pour ne pas laisser au jeune homme le temps d'apercevoir son trouble, elle s'en retourna brusquement vers l'escalier et lança :

— Dormez tranquille, mon petit. À demain.

Il lui souhaita une bonne nuit. En grimpant les marches, elle imagina ses grands yeux verts pleins de reconnaissance, et elle en fut heureuse. Elle rabattit la trappe et perçut un bruit furtif derrière la porte du cellier – une sorte de frottement à peine audible qu'elle connaissait bien. Lorsqu'elle arriva dans la cuisine, un craquement dans l'escalier qui

17

menait à l'étage confirma ses doutes. « Il »
était descendu pendant qu'elle était à la cave.
Elle était maintenant sûre qu'il avait entendu
sa conversation avec le jeune maquisard. Elle
s'empressa alors de terminer son travail et
monta. Elle ouvrit la porte de sa chambre.
« Il » était assis sur son lit, dans une pose qui
trahissait sa rancœur et montrait qu'il attendait
sa venue. Elle s'approcha et s'assit à ses côtés.

— Il va partir demain. Il est resté seulement deux nuits, tu vois. Après, nous serons
de nouveau tous les deux. Nous ne risquons
rien, ne t'en fais pas.

Un long silence suivit ses paroles. Elle
reprit :

— Tu n'aurais pas dû descendre ! Et si
Robert Laurent était revenu ? Il aurait pu te
voir... Tu as entendu ce qu'il a dit à propos du
jardin ? Ah, ce n'est guère prudent de te laisser
y aller ! Tu le sais !

Le ton qu'elle avait employé était étonnam-
ment doux pour des reproches. Un grognement
résonna dans la chambre. Elle leva la main et
caressa ses cheveux.

— Oui, je sais combien tu aimes gratter la
terre ! Au fond, ça ne fait rien que l'autre

abruti croie que j'accomplis un travail de titan ! Tu pourras t'y rendre aux beaux jours, mais, comme d'habitude, le lundi, quand il n'y a aucun client, et en faisant toujours attention, tu veux bien ?

Un second grognement, qui semblait plus joyeux que le premier, lui répondit. Elle hocha la tête deux ou trois fois et sourit :

— C'est bien !

Elle s'étira et bâilla. Elle était épuisée, même si, à cause du mauvais temps, presque personne n'était venu à l'auberge. Sa fatigue était sans doute due à son inquiétude. Mais le lendemain, quand le jeune maquisard partirait de l'auberge, son épuisement la quitterait aussi. Amélie se leva et lança :

— Il faut dormir à présent !

Il n'y eut cette fois aucun bougonnement. Juste ce silence qu'elle était seule à comprendre. Elle glissa une dernière fois la main dans ses cheveux, les ébouriffa un peu. Comme d'habitude, il bougea lentement la tête pour lui signifier combien il appréciait sa caresse. En refermant la porte, elle tourna les yeux vers la fenêtre, comme pour vérifier que les persiennes étaient bien closes. Elle savait pourtant qu'elles l'étaient ! « Il » ne les avait jamais ouvertes, profitant de toutes leurs fentes pour regarder dehors à sa guise. Amélie se demandait souvent si, après tant d'années, ces vieux volets en fer s'ouvriraient encore ? Sans doute la rouille s'y était-elle incrustée… Mais elle ne prenait pas la peine de vérifier. Ces persiennes, elle les avait condamnées définitivement il y a fort longtemps, se faisant la promesse de ne jamais les rouvrir. Elle ne manœuvrait que la fenêtre, afin de renouveler l'air dans la chambre.

Amélie longea le couloir avec un pincement au cœur. Elle regrettait déjà de ne pas avoir prolongé sa caresse. Mais pouvait-elle retourner le bercer, comme elle le faisait parfois quand sa peine débordait ? Il aurait compris ses regrets. Et si ces manifestations d'amour étaient bonnes à prendre sur le moment, elles ravivaient la douleur de « Il », et la sienne aussi. Mieux valait rester réservé. L'aubergiste chassa ces idées et entra dans sa propre chambre, une pièce immense autrefois destinée aux clients les plus éminents. Machinalement, elle la parcourut du regard, jaugeant le décor. Elle l'avait rendu plus sobre en retirant des bibelots et d'imposants tableaux. Elle les avait placés dans la chambre de « Il », qu'elle désirait plus attrayante que la sienne. Il aimait toucher les statuettes et contempler, des heures durant, les paysages impressionnistes qui lui permettaient de s'évader dans d'autres mondes ! Pour tout accessoire, Amélie n'avait besoin que de son paravent. Si elle avait transporté les autres dans la deuxième chambre, c'était aussi parce qu'« Il » y demeurait souvent, et parce qu'il n'avait hélas pas le bonheur de vivre au grand jour. Les seules décorations qu'elle souhaitait dans sa chambre étaient les tableaux qu'il avait peints lui-même et qu'elle avait accrochés aux murs en grand nombre.

Elle poussa un gros soupir puis s'approcha d'une table qu'elle avait transformée en écritoire, sur laquelle il y avait une lampe, un encrier, un porte-plume et un sous-main rectangulaire en cuir épais. Elle écrivait là toute sa correspondance, les commandes aux fournisseurs, ses lettres et le journal qu'elle remplissait chaque soir. Dans le tiroir, elle saisit un cahier d'environ deux cents pages presque entièrement noircies. Elle l'ouvrit, prit sa plume et inscrivit quelques lignes en milieu de page. Mais, sentant venir une migraine, elle s'arrêta. Elle referma brusquement le cahier et enfouit sa tête dans ses mains. À chaque fois, c'était pareil ! Cette céphalée l'indisposait dès qu'elle s'enfonçait dans ses réflexions et ses émotions. Il ne lui restait plus qu'à se coucher et à faire le vide dans son esprit, ce à quoi elle était parvenue après de longues années d'efforts et d'angoisse. Elle se mit au lit et demeura attentive au silence pendant quelques minutes. Comme il était total, elle plongea dans le néant.

Dans la chambre d'à côté, « Il » aussi écoutait la nuit. Son ouïe développée lui permettait d'entendre nettement le souffle de la bise et le crépitement du grésil qu'elle jetait par intermittence sur le toit de l'auberge. Il percevait même le chuintement des flammes qui s'amenuisait doucement dans la cheminée du rez-de-chaussée. Mais ce soir, il tendait l'oreille plus que de coutume, guettant un bruit qui allait peut-être monter de la cave, émis par l'étranger qu'elle avait appelé « mon petit ». Mais, de si loin, on ne pouvait rien entendre, car il y avait deux planchers entre la chambre et la cave. « Il » imagina alors le visage du maquisard, sans doute pourvu de cette beauté qu'il avait souvent admirée dans les livres. La douleur qu'il avait ressentie quelques instants plus tôt dans la poitrine devint plus forte, plus profonde que celles qui le courbaient habituellement. Il avait envie d'allumer la lampe, d'ouvrir un livre afin d'oublier l'étranger, mais il n'osait bouger de peur qu'Amélie l'entendît. Ayant deviné ses angoisses, elle viendrait sûrement le consoler – or il ne voulait pas qu'elle passât une mauvaise nuit. Elle en avait tant enduré à cause de lui ! Il se tourna sur le côté, n'écoutant plus que le sifflement de sa respiration que provoquait cette position.

2

Au petit matin, dès qu'elle ouvrit les yeux, Amélie vit que le temps s'était amélioré. Une lumière jaune filtrait à travers les persiennes et dorait les murs de la chambre. Le soleil s'était donc levé ! Sur le toit, on entendait cependant la bise souffler aussi fort que la veille. Lorsqu'Amélie ouvrit fenêtre et volets, elle constata que le ciel était lavé de tout nuage. D'un bleu pur, il laissait croire que l'hiver s'en était allé. Mais il n'en était rien. Le froid perdurait ; il envahissait les épaules d'Amélie. Et sous la limpidité bleue, le paysage présentait sa blancheur de givre. Amélie rabattit vivement les persiennes et ferma la fenêtre. Elle enfila sa robe de chambre. Encore grelottante, elle descendit dans la salle et alluma le feu à l'aide de vieux papiers et de petit bois qu'elle amoncelait régulièrement dans la réserve sous la cheminée. Le jour précédent, elle avait pris soin d'y ranger également un bon tas de bûches, les unes de fayard et les autres de pin, toutes bien sèches et de longueur égale. Quand les flammes se mirent à danser dans l'âtre, Amélie se rendit à la cuisine où elle alluma le fourneau à l'aide de bûches plus fines et plus courtes. Dans la bouilloire, elle fit chauffer de l'eau pour le café. L'odeur de celui-ci emplit l'espace quelques minutes plus tard, presque en même temps que la chaleur, ce qui rendit plus agréable l'atmosphère de cette pièce située à l'ouest qui ne voyait pas le soleil avant le milieu de l'après-midi.

Amélie déjeuna rapidement d'un grand bol de café noir et d'une tartine de pain sec. Puis elle nappa de confiture de groseilles quatre autres tranches de pain et les déposa sur un grand plateau. Elle remplit un second bol de café et y versa un peu de lait chaud. Après avoir ajouté cuillère et couteau, elle vérifia son plateau et s'en saisit. Elle grimpa l'escalier et donna deux petits coups à la porte de la première chambre sous laquelle passait un rai de lumière. Elle entra. « Il » était réveillé. À ses petits marmonnements, elle comprit qu'il allait mieux que la veille. Elle savait que cet égaiement provenait du départ du maquisard prévu en début d'après-midi.

— Bonjour, mon petit, dit-elle d'une voix enjouée, toute heureuse de le savoir dans de bonnes dispositions d'esprit.

Elle déposa le plateau sur la table tandis que les grognements coutumiers résonnaient dans la chambre. Puis elle s'approcha du lit et déposa un baiser sur son front. Elle ébouriffa ses cheveux, déjà en bataille.

— Couvre-toi, lança-t-elle, il fait froid ! On a un vrai temps d'hiver aujourd'hui.

Elle le regarda sortir du lit, posant sur lui son habituel regard d'amour et de compassion, puis gagna sa chambre d'un pas rapide. Derrière le vieux paravent, elle enfila des vêtements épais et jeta son châle par-dessus. Elle se coiffa devant le miroir, ne regardant que ses cheveux. Elle n'avait pas contemplé son visage depuis des années. Elle fit son lit et s'empressa d'aller récupérer le plateau dans la chambre voisine. « Il » avait tout avalé et s'était de nouveau glissé sous les couvertures, un livre dans les mains. Elle y jeta un coup d'œil. Il s'agissait des poésies de Victor Hugo, qu'il avait maintes fois lues et relues. Il les connaissait sans doute par cœur, et, s'il avait pu, aurait su les réciter sans un oubli !

Elle sourit et passa encore une fois la main dans sa tignasse hirsute. Il poussa plusieurs grognements, jeta le livre sur le lit, et, par gestes désordonnés, manifesta son désir de caresses supplémentaires. Elle les lui accorda pendant cinq bonnes minutes, lui susurrant des mots pleins de douceur. Plus il grognait, plus elle riait. Enfin, elle se releva :

— À tout à l'heure ! Lis bien, mon chéri.

Elle éprouvait du bonheur, comme chaque fois qu'elle le savait content. Mais soudain son sourire s'effaça : elle venait de ressentir quelque chose d'étrange, une sorte de mauvais pressentiment. Elle demeura un instant l'esprit vide, puis eut une pensée pour le jeune homme dans la cave. Certes, elle serait tranquillisée après son départ ! Malgré toute la bienveillance qu'il lui inspirait, elle préférait le savoir au maquis plutôt que dans la maison. Elle allait lui apporter un bon petit déjeuner à lui aussi, de quoi le mettre en forme. Elle descendit à la cuisine, où, tout en s'activant, elle oublia son appréhension. Mais à peine avait-elle rempli le bol de café que des coups précipités se firent entendre à la porte. Elle sursauta. Leur violence ne présageait rien de bon ! Elle pensa à cacher nourriture et vaisselle dans le buffet quand une voix cria :

— Ouvrez donc !

Affolée, Amélie jeta un torchon sur le plateau et se précipita vers l'entrée. Un soupçon s'était emparé d'elle et la faisait trembler. Elle répondit cependant d'une voix ferme :

— Oui, oui, laissez-moi le temps de finir la vaisselle.

Elle ouvrit la porte, faisant mine d'essuyer ses mains sur son châle. En voyant les trois hommes, il lui fallut à peine une seconde pour comprendre qu'ils étaient de la Milice. Ils portaient l'uniforme bleu et le béret basque. Apercevant Robert Laurent, il ne lui fallut pas davantage de temps pour comprendre qu'il était leur complice. Elle sut alors qu'elle avait eu la prescience de cette arrivée brutale.

L'un des miliciens la bouscula et ses acolytes s'introduisirent chez elle à grandes enjambées. Robert Laurent vint se poster devant eux, au milieu de la pièce, et tendit un doigt vers le cellier. Amélie pensa tout de suite à la cave et au jeune maquisard. Avait-elle une faible chance de se tromper ? Las, les trois hommes s'élancèrent dans le cellier et s'immobilisèrent près de la trappe. Son cœur chavira et elle dut se tenir au comptoir. Ainsi le paysan savait et il l'avait trahie ! Après avoir attendu quelques minutes dans le silence, les miliciens ouvrirent la trappe et descendirent à la cave, armes en avant. Le silence revint et la peur d'Amélie s'intensifia, ce qui ne l'empêcha pas de dévisager Robert Laurent et de lui dire d'une voix froide : « Ce n'est pas possible, tu n'as pas fait ça ! »

Le paysan garda un air détaché ; il semblait plutôt attendre la suite des événements. Elle ne tarda pas à venir, dans un grand fracas de mitraillettes. En une fraction de seconde, Amélie revit le beau sourire du jeune maquisard et réentendit sa voix aimable. Puis le silence tomba dans l'auberge. Les yeux rivés sur la trappe, elle pensa soudain à « Il ». Sa peur redoubla, sans toutefois lui ôter ses facultés de réflexion. Les miliciens allaient l'emmener… Pour combien de temps ? Que ferait « Il » sans elle ? Mon Dieu ! Comment le sauver de ce guêpier ? N'allait-il pas se montrer maintenant ? Elle n'eut pas le temps de se questionner davantage car l'un des trois miliciens émergea de la trappe. Le canon de son arme était levé. Il avait la figure décomposée, les yeux hagards. Robert Laurent se précipita vers lui et s'écria :

— Et les autres ?

Le milicien répondit en gardant un œil sur la trappe :

— Ils se sont fait avoir ! Mais j'ai eu le maquisard !

— Nom de Dieu ! s'exclama Robert Laurent.

Il regarda Amélie. Elle s'attendait à tout sauf à le voir glisser la main dans sa vareuse et en sortir un pistolet qu'il dirigea sur le milicien. Le coup de feu retentit et l'homme tomba raide mort. Tout alla si vite qu'elle eut juste le temps de croire que Robert Laurent venait de la sauver, mais il se pencha près du mort et s'empara de sa mitraillette. Il la tourna vers elle, et à cette seconde, elle arbora l'air surpris qu'ont tous ceux qui voient venir leur mort soudaine. Il lui tira dessus. Elle mit la main sur sa poitrine et glissa sur le sol. Avant d'expirer, elle leva les yeux au plafond et murmura trois mots incompréhensibles.

Robert Laurent ne prit pas la peine de vérifier si elle respirait encore. Il reposa la mitraillette près du milicien et reprit le pistolet qu'il avait abandonné l'instant précédent. Puis, sans aucune hésitation, il vint le glisser dans la main d'Amélie. Tout le monde penserait que c'était elle qui avait tiré sur le traître avant qu'il ne la mitraillât. Chacun croirait que des miliciens étaient venus arrêter Amélie et son jeune protégé ; ce dernier aurait déchargé son arme sur deux d'entre eux avant d'être abattu par le troisième, qui, montant de la cave, n'avait pas prévu que l'aubergiste était elle aussi armée.

Rien ne trahirait la présence de Robert Laurent, qui, le matin même, avait dénoncé l'aubergiste pour la seule raison qu'elle lui avait refusé de l'argent. Il avait élaboré son plan sans se douter que la scène prendrait cette tournure. Il croyait plutôt que les miliciens emmèneraient Amélie et le maquisard, et qu'il pourrait alors s'emparer du magot qu'elle cachait sous son comptoir. Combien de fois il l'avait surveillée à son insu pour voir où elle le rangeait ! Il était sûr de lui, et aurait de toute manière eu le temps de fouiller l'auberge pour y dénicher le plus important de ses économies. Mais les choses ne s'étaient pas déroulées comme il l'avait prévu et il n'avait pas hésité à tuer Amélie pour la voler.

Il s'élança derrière le bar et trouva la cassette convoitée. Elle était pleine de billets et de pièces, mais pas autant qu'il l'avait imaginé. Il entreprit alors d'autres fouilles, ignorant qu'un œil inondé de larmes l'épiait à travers les lattes du plancher. Il chercha pendant cinq bonnes minutes dans tous les recoins de la grande salle. Rien ! Il s'apprêtait à aller dans la cuisine, mais prit soin de regarder au passage par la fenêtre, et aperçut des silhouettes au loin. Elles venaient dans sa direction ! Sans doute avait-on entendu les crépitements des mitraillettes depuis le village de Chazelle. Il tempêta à l'idée de ne pouvoir rester plus longtemps, mais il n'avait pas le choix : il lui fallait vite quitter les lieux.

La cassette sous le bras, il prit la porte, contourna l'auberge par le sud, longea les murs à l'ouest sous les grands sapins et courut vers le layon qui menait à sa ferme. C'était une sorte de tunnel formé par la végétation, dans lequel on ne pouvait le voir, même en cette saison, tant les branches s'étaient entre-mêlées au fil des ans. Il s'accroupit dans les buissons et attendit que le groupe passât sur la route parallèle au chemin, à trois mètres de lui. Parmi les voix, il reconnut celle de son père :

— Je vous dis que ça venait de chez l'Amélie, ça a duré un bon moment !

Robert comprit que Gaby était allé avertir les voisins, n'ayant pas le courage de venir seul voir ce qui s'était passé. Voilà pourquoi ils venaient par la route… Il pensa : « Quel imbécile ! » et éprouva pour son père une haine encore plus forte que celle qu'il lui vouait d'ordinaire. Une nouvelle fois, Gaby avait entravé ses desseins. Le silence revenu, Robert continua son chemin jusqu'à la ferme, la cassette bien serrée contre lui, épiant les environs d'un œil aussi glacé que l'atmo-sphère.

Il entra dans la maison sans prendre la peine d'ouvrir la porte de l'étable aux chiens qui y étaient enfermés et jappaient à tout-va. Il grimpa dans sa chambre et glissa le magot sous son lit. Aucun risque que son père l'y trouve, il ne rentrait jamais dans la pièce ! Puis il descendit, délivra les chiens avant de se rendre dans l'annexe où était remisé le bois de chauffage. Il démolit un bûcher de petit bois mort, afin de laisser croire au père qu'il l'avait ramassé le matin même. Un acte prémédité ! Car il avait supposé qu'à son retour il pourrait gagner l'appentis à l'insu du vieil homme (celui-ci serait à l'étable) pour démonter le bûcher et disposer le chariot à bois bien en vue, vide, comme s'il venait tout juste de décharger les fagots. Si le père arrivait, il ne s'apercevrait de rien étant donné la quantité de petit bois amoncelé ici.

En réalité, alors que le jour n'était pas encore levé, Robert s'était rendu chez Bernard Chacornac, un vieux garçon qui habitait une bâtisse isolée bien avant le village de Lieudieu. Il savait que l'homme avait de bons rapports avec la Milice et l'avait mis au courant de l'affaire. Bernard Chacornac lui avait alors donné rendez-vous non loin de l'Auberge du lac, affirmant qu'il y serait dans deux heures avec deux autres de ses compères, des miliciens. Pendant ce temps, Robert avait erré en forêt, méditant sur son forfait mais surtout sur son plan. Il se réjouissait de détenir bientôt l'argent d'Amélie, en plus de celui offert par la Milice.

À l'heure convenue, il n'avait pas hésité à se montrer avec les traîtres. Mais tandis qu'ils étaient à la cave, il avait soudain pensé avec effroi que, si la veuve sortait un jour de prison, elle le dénoncerait. L'occasion s'étant présentée, il avait alors préféré tuer le milicien et elle ensuite, évitant ainsi tous les risques. Les événements avaient tourné en sa faveur et il se frottait à présent les mains. Il était loin de se douter que là-bas, à l'auberge, un être l'avait vu accomplir cet horrible crime.

3

Lorsque les coups avaient ébranlé la porte de l'auberge et que la voix masculine avait sommé d'ouvrir, « Il » s'était doucement glissé hors de son lit et avait, tout aussi doucement, gagné son réduit, obéissant à l'ordre que lui avait donné Amélie : « S'il y a quoi que ce soit de suspect, tu vas là et tu n'en bouges pas avant d'être sûr de pouvoir en sortir. » Il s'agissait d'une minuscule pièce logée entre leurs deux chambres, à laquelle on accédait par des portes dissimulées dans les cloisons de chaque côté. Là, derrière les piles de linge, il y avait une couchette à même le sol et un petit meuble où Amélie mettait toujours des bouteilles d'eau, des friandises et des livres. Par un interstice entre deux lames du plancher,

« Il » pouvait voir presque la moitié de la surface de la grande salle.

Autrefois, il se claquemurait non seulement à la moindre alerte, mais aussi pour observer la vie de l'auberge. Cela lui faisait passer le temps, lui permettait de participer à l'existence de l'établissement, à celle d'Amélie, et même d'avoir la sienne ! Hormis le jardin clos, il aimait le réduit plus que tout autre endroit de la demeure.

Ce jour-là, dès l'arrivée des miliciens, il s'était glissé dans l'alcôve secrète et s'était allongé sur la paillasse, adoptant sa posture habituelle, qui lui évitait les engourdissements. Il avait appuyé sa tête sur le plancher et appliqué son œil à la fente, pour bien distinguer la scène qui allait se dérouler, principalement autour du bar et dans la partie centrale de la salle. Il avait tendu l'oreille, lui qui avait appris à écouter les messes basses.

Il avait donc pu voir Amélie marcher jusqu'à la porte et céder le passage aux miliciens et à ce Robert Laurent qu'il n'aimait pas. Quand le paysan avait tendu le doigt vers le cellier, « Il » avait cessé de respirer. Son regard s'était tourné vers Amélie, qui s'était appuyée au comptoir. Percevant son inquiétude, il s'était mis à trembler. Les miliciens avaient disparu en direction du cellier ; peu après, les crépitements de mitraillettes avaient retenti, suivis d'un profond silence. Quand le milicien était remonté de la cave, « Il » avait détaché son regard d'Amélie et entr'aperçu Robert Laurent. À la seconde suivante, le coup de pistolet avait résonné à son tympan presque aussi fort que les coups de mitraillette. Le paysan avait réapparu dans son champ de vision. Il avait tourné l'arme vers elle et…

Cette fois, « Il » n'avait pas eu conscience de l'impact, mais seulement de l'image : Amélie glissant au sol. Elle avait porté une main à sa poitrine et levé les yeux vers lui. Son regard avait plongé dans le sien. Bien qu'une grande douleur le saisît déjà, « Il » n'en avait pas conscience. Il eut seulement la lucidité de ne pas bouger, comme Amélie le lui avait toujours recommandé. Il avait donc assisté à la suite des événements en refoulant le cri qui montait en lui. Il ne comprit l'horreur du drame et ne ressentit l'intensité de sa douleur qu'une fois le criminel enfui. « Il » fixa son œil sur elle. Elle était inerte, sa poitrine rougie de sang. Il savait qu'elle était morte. Il avait roulé sur sa couche et poussé un grognement de douleur. Il ne la verrait et ne l'entendrait plus ! La voix d'Amélie résonna dans sa tête : « Quand je ne serai plus ici, tu me rejoindras là-haut. » Il avait alors pris conscience que sa propre mort approchait. Il savait comment faire pour se la donner. Il agirait !

Mais dans son cœur, une haine terrible était en train de naître. Ce sentiment instinctif se mêlait à sa souffrance et attisait son désir de vengeance. Il se donnerait la mort, oui, mais avant, Robert Laurent paierait pour son crime ! « Il » ressentait si fort le sentiment de l'injustice qu'il avait laissé échapper le cri longtemps retenu et s'était longuement contorsionné sur sa couchette. Quiconque l'aurait vu et entendu aurait été terrorisé.

Au bout d'un long moment, il se releva, sortit de son antre et descendit l'escalier. Il voulait la voir, la toucher, l'enlacer plus fort qu'il avait jamais pu le faire, car elle avait toujours rechigné aux excès d'effusions. Entre eux, la fatalité avait toujours formé un barrage ; mais leur amour était réciproque et le lien indestructible. Arrivé dans la grande salle, il jeta un regard sur le cadavre du milicien, puis sur la trappe ouverte, sans une pensée pour le jeune maquisard qu'il avait essayé d'imaginer la veille. Il s'approcha d'Amélie avec des grognements plaintifs, redoutant la vue de son sang et de son expression au moment où elle avait levé le visage vers lui. Mais il agissait avec calme. Il se pencha et considéra la défunte avec la même attention que lorsqu'il regardait Amélie à son insu. Il commençait à s'agenouiller pour la prendre dans ses bras lorsqu'il discerna des voix au-dehors. Il se figea. Les voix devenant plus distinctes, il comprit qu'on venait à l'auberge. Il se redressa et clopina en direction de la cuisine. À peine posa-t-il un pied sur la première marche qu'on entrait dans la salle. Les paroles et les martèlements sur le plancher couvrirent le bruit qu'il fit, le temps de monter l'escalier et de se réinstaller dans son réduit.

L'œil sur la fente, « Il » vit la stupéfaction des quatre habitants de Chazelle et du père Laurent face au carnage. « Bon Dieu », répétaient-ils, saisis d'horreur. Tandis que deux d'entre eux disparaissaient dans le cellier, sans doute pour descendre à la cave, les deux autres examinèrent avec attention le spectacle qu'ils avaient sous les yeux. Le premier, le père Laurent s'exclama :

— Vois, l'Amélie a une arme dans la main. Elle a dû tirer sur celui-ci !

Il désignait le milicien étendu à ses pieds.

— Oui, mais il a eu le temps de tirer sur elle avant de mourir. Pauvre femme ! répliqua son compagnon.

Le vieux Laurent acquiesça. Dans sa cachette, « Il » retint un grognement de douleur. Ainsi, tout allait dans le sens voulu par le meurtrier !

— Il ne faut rien toucher avant la venue des gendarmes, lâcha Gaby Laurent.

Les autres remontèrent de la cave et décrivirent rapidement ce qu'ils avaient découvert. Ils firent part du scénario qu'ils avaient également imaginé, bien réel celui-là. Maximien Fargier souffla :

— Pauvre petit gars, il avait vingt ans. Les salauds ! Ils n'ont eu que ce qu'ils méritaient ! Et l'Amélie ? Ah ! Mais comment ont-ils su ?

Ils s'interrogeaient, cherchant les causes de cette horrible affaire. Ils pensaient sans doute qu'elle relevait d'une délation – la première qui se produisait dans leur contrée ! Le plus éminent des quatre (parce qu'il était maréchal-ferrant) chargea ensuite Maximien Fargier de prévenir la gendarmerie de Lieudieu, ou du moins le chef de la brigade, un certain Jean-Jacques Villard, qu'ils connaissaient tous. Maximien quitta les lieux à grands pas et les autres évoquèrent le drame.

— Elle était discrète et assez farouche, l'Amélie, mais c'était une brave femme. À chaque heureux événement, elle offrait sa tournée ! C'est beau, ce qu'elle a fait ! murmura Aurélien Baye d'une voix triste.

— Ouais, répondit Gaby Laurent, chaque fois que je lui rapportais son lait, quand elle n'avait pas le temps de venir le chercher, elle me payait un canon et parfois même à manger. Et je suis sûr que mon fainéant de fils en a bu gratis, des canons ! Elle avait le cœur sur la main, l'Amélie, même si elle ne parlait pas beaucoup ! Et quelle femme alerte ! Son jardin, elle le bêchait comme un homme, sans peur de se salir les mains !

De sa cachette, « Il » écoutait. Ces mots adoucissaient sa douleur. Il avait l'impression qu'Amélie n'était pas tout à fait morte... que ce serait pour après ! À travers le flot de ses larmes, il ne voyait plus les hommes – mais il la voyait, elle, au jardin, tournant la terre ou arrachant des mauvaises herbes. Quand elle ne voulait pas qu'il l'accompagnât parce que la nuit tardait à tomber, il l'épiait à travers les fentes des volets. Il aimait ses gestes et se disait que ses mains rêches, il les caresserait quand viendrait leur moment de tendresse. Durant ces instants où elle était dehors, il avait souvent gagné sa chambre et sorti son journal de la table. Il en tournait les pages avec l'envie folle de les lire. Il ne l'avait toutefois jamais fait : il aurait eu le sentiment de la trahir et n'avait pas le droit de violer son intimité.

— Je vais aller dire aux femmes de quoi il retourne et que deux d'entre elles doivent se préparer pour la veillée. Sans doute qu'on va laisser la morte ici jusqu'à l'enterrement. La pauvre, je crois bien qu'il ne lui reste aucun parent.

Dès qu'il eut prononcé ces mots, Aurélien Baye se dirigea vers la sortie et le silence retomba sur la maison. Les deux autres allèrent dans la cuisine. « Il » crut qu'ils allaient monter à l'étage. Mais, deux minutes après, ils se rendirent dehors pour fumer une cigarette. « Il » sortit par la chambre d'Amélie mais ne put voir les paysans depuis la fenêtre. Sans doute étaient-ils adossés au mur. Par prudence, « Il » retourna dans l'alcôve et attendit sur sa couche, le cœur comprimé de douleur. De longues minutes s'écoulèrent avant l'arrivée de Jean-Jacques Villard. Les autres hommes entrèrent avec lui et la salle fut à nouveau pleine de voix et de bruits. Le gendarme, visiblement atterré, constata lui aussi les faits et fit la même déduction que les autres. « Il », pour sa part, était à la torture. Il aurait voulu leur crier la vérité, leur dire qu'ils se trompaient… mais il ne pouvait pas se montrer. Personne ne connaissait son existence ! Amélie l'avait gardée secrète à cause de ce qu'il était ! Sa souffrance et sa haine traçaient en lui le profond sillon de la vengeance. Il ferait payer à Robert Laurent le prix de son geste. Il eut hâte que tous ces gens s'en aillent.

Ils s'exécutèrent, mais de longues heures plus tard, hélas, une fois que le maire et le curé eurent fait leur apparition et que toutes consignes furent données. Deux femmes de

Chazelle étaient arrivées pour veiller la morte. « Il » avait déjà appris qu'Amélie serait enterrée le lendemain au cimetière de Chazelle, car l'auberge faisait partie de la commune et non de Lieudieu. Le jeune maquisard irait, lui, au cimetière de Lieudieu, la bourgade dont il était issu. Quant aux miliciens, peu importait le lieu de leur sépulture ! Le devenir de l'auberge préoccupait davantage « Il ». Il décida d'y mettre le feu une fois sa vengeance accomplie.

Les cadavres furent emportés et tout le sang nettoyé par les deux femmes qui s'apprêtèrent ensuite à préparer la morte. Quand elles montèrent dans la chambre, « Il » craignit d'être découvert. Elles se trouvaient si près de lui, et leurs voix résonnaient si fort !

— Elle est belle, cette auberge, lâcha l'une d'elles ; je pense que le maire va faire des recherches pour savoir si l'Amélie n'avait pas un héritier qu'on ne connaît pas !

— Elle n'avait personne : elle n'a pas eu d'enfant, sa tante Berthe est morte, tout comme ses beaux-parents, et on ne lui connaît pas de neveu. Comme elle, le Joseph, son mari, était fils unique. Elles sont rares, de telles familles !

— Et toutes ses affaires, que vont-ils en faire ? reprit la première.

« Il » entendit une sorte de bougonnement. Puis on ouvrit la porte de la penderie ; il retint sa respiration.

— Regardez tout ce fatras ! Elle en possédait du linge, l'Amélie !

On fouilla dans les vêtements placés sur les cintres, on remua les piles de linge et même celles de draps qui frottèrent contre la cloison. « Il » eut l'impression qu'elles pouvaient entendre les battements de son cœur, bientôt couverts par la voix d'une des femmes.

— Ne déplaçons pas tout : si le bon Dieu nous voit, il nous punira !

— Et de quoi voulez-vous qu'il nous punisse, ma pauvre Ginette ? Nous ne volons pas l'Amélie, nous cherchons juste une robe à lui mettre !

Il y eut un court silence, puis la première voix reprit :

— Tenez, celle-là fera l'affaire avec ce jupon et cette coiffe.

Quelques frottements encore et la porte se

referma. Puis il y eut le glissement d'un tiroir et « Il » pensa avec effroi au journal d'Amélie. Si les femmes tentaient de le consulter, il les en empêcherait ! Mais Ginette Masclaux, la plus pieuse, lança :

— Cessez de farfouiller ! Nous avons autre chose à faire !

Au bruit qui suivit sa voix, « Il » déduisit que Clémence Roy avait refermé le tiroir. Elles descendirent enfin. Il comprit que c'était pour lui l'unique occasion de s'emparer du journal. On remonterait en effet bientôt le corps, les veilleuses resteraient dans la chambre et il ne pourrait plus agir. Tandis que des bruits se propageaient encore à l'intérieur de la bâtisse, il se glissa dans la chambre d'Amélie, jusqu'à la table. Il ouvrit le tiroir et saisit le cahier. Il s'exécutait sans bruit, fort de l'adresse acquise au fil des ans.

Quand il fut de nouveau dans l'antre noir, il vérifia la fermeture de la double cloison et dirigea la lampe vers sa couchette. Le faisceau était assez puissant et étroit pour lui permettre de lire sans que la lumière filtrât à travers les lattes. Et puis, il y avait la penderie et les piles de linge et de draps ! Il retrouva sa posture habituelle, pour éviter l'engourdissement. Il aurait aussi pu poser l'œil sur la fente, mais il ne voulait pas voir les deux femmes effectuer la toilette mortuaire d'Amélie. Il ne voulait surtout pas la voir dans le plus simple appareil, elle qui s'était toujours abritée derrière son paravent pour se laver et s'habiller. Il ferma les yeux. Il ne les rouvrirait qu'à l'heure de la veillée, quand les deux femmes seraient endormies. Certes, la nuit allait être longue mais en lisant ce qu'Amélie avait retranscrit, il serait complètement avec elle. Quand il la rejoindrait, très bientôt, il ne lui dirait pas qu'il avait lu son journal…

À l'heure où les étoiles commencèrent à briller dans la nuit glacée, on monta le corps et on l'installa sur le lit. Seules maintenant, les deux femmes prirent place de chaque côté du lit, leurs chaufferettes à leurs pieds. Elles parlèrent pendant un long moment du drame, de la vie secrète d'Amélie, de ses amours clandestines avec un certain Raoul, de la première trahison au pays, des rumeurs de la guerre, d'untel ou d'unetelle, de leur famille, de l'hiver qui n'en finissait pas et brûlait les premières pousses… Puis les silences se firent de plus en plus longs, désormais meublés davantage par le souffle de la bise que par les voix des deux paysannes. Elles s'étaient assoupies. Alors « Il » ouvrit le cahier et voici ce qu'il apprit.

4

Un jour de mai 1921, Amélie Viscomte, née Germain, pleurait devant la tombe de son époux, Joseph Viscomte, emporté après de grandes souffrances par une maladie pulmonaire contractée pendant la guerre de 1914-1918. Le veuvage d'Amélie datait de trois mois déjà, mais elle ne parvenait pas à se consoler de l'absence de son mari. Même sans fol amour entre eux, leur complicité avait été grande et l'affection aussi. Amélie redoutait également de ne pouvoir assumer seule les charges de l'auberge. C'est pourquoi, certaine de l'approbation du défunt, elle décida ce jour-là de fournir désormais le couvert mais non le logis, aussi confortée par le récent aménagement d'une auberge-étape à Lieudieu.

Certes, elle perdrait une partie de sa clientèle, des commerçants et des voyageurs, mais qu'importait cela ! Elle était sûre de la fidélité des gens du pays et n'avait plus besoin de réaliser un chiffre d'affaires aussi important que lorsqu'elle et Joseph rêvaient de fonder une famille. Aucun enfant n'était né de leur union et Amélie ne connaîtrait jamais les joies de la maternité, car elle avait déjà trente-sept ans, et vivait seule désormais.

Ainsi débuta sa vie de veuve. Le temps fila. Elle se consacra tout entière à l'auberge que Joseph lui avait léguée et qu'elle aimait beaucoup. Elle était située au bord de la Valny, dans le vallon du lac, à l'extrémité de la chaîne des Monts de Chazelle, à mi-chemin entre le village du même nom et celui de Lieudieu. Elle se trouvait également à mi-chemin des villes de Rimont et de Saint-Baptiste, éloignées d'une dizaine de kilomètres environ. La toute première fois que Joseph l'y avait conduite, Amélie avait été séduite par la propriété. Surtout par le clos, qui enfermait entre ses hautes murailles le décor paisible où elle rêvait de vivre. Sous les grands arbres, dans la cour mangée par une herbe drue et des fleurs extravagantes, Amélie avançait à pas lents, comme soûle, sa main dans celle de Joseph mais oublieuse de sa présence. Dès qu'il l'avait entraînée dans le patio, elle avait repris conscience et éprouvé un bonheur immense à l'idée d'être bientôt maîtresse de cet éden. Quant à la demeure ! Toute de pierres ocres et agrémentée de larges fenêtres, avec son toit pentu de tuiles rouges, elle ne déparait pas dans les frondaisons des platanes et autres arbres à grands panaches. Le rez-de-chaussée englobait la grande salle, d'une surface de quarante mètres carrés, une vaste cuisine et un cellier. Grâce à l'épaisseur des murs, ces pièces demeuraient agréablement fraîches en été, même durant les grosses canicules, et chaudes en hiver. L'étage, auquel on accédait par un escalier situé dans la cuisine, comportait six chambres d'hôtes, de belles dimensions elles aussi, joliment garnies d'un mobilier en bois de merisier rougeâtre fleurant la cire d'abeille. Une ou deux cloisons présentaient des défectuosités mais Joseph prévoyait déjà de les doubler en bois de chêne, qui se marierait parfaitement avec la pierre. À cette perspective, et parce qu'elle avait déjà vu la cuisine dotée de l'eau courante, Amélie s'épanouit. Le jeune homme avait lui-même effectué les travaux en captant l'eau d'une source située non loin de la fontaine. Folâtrant tel un papillon, Amélie avait ouvert les baies à l'étage pour admirer le clos, au nord comme au sud. Et elle avait choisi la chambre de ce côté-ci à cause de la vue qu'elle aurait en hiver sur le lac, quand les arbres auraient perdu leurs feuilles.

Tandis que Joseph jaugeait les réfections futures, Amélie s'était calmée, et, devant la fenêtre, les yeux par-delà la muraille, elle écoutait le silence parcouru de cris d'animaux et du froissement des choses où se mêlait le murmure incessant de la fontaine. Elle s'imprégnait de la beauté du paysage, grisée de ce silence et des effluves échappés de la terre. Un mystérieux accord s'établissait entre ce lieu et son âme, sans qu'elle comprenne que sa joie découlait plus de sa rencontre avec l'endroit que de sa future union avec Joseph. Elle n'éprouvait pas de passion à l'égard du jeune garçon, mais la pensée de vivre ici avec lui laissait croire qu'ils formeraient un couple des plus solides et des plus liés. Ils auraient des enfants qui mettraient du bonheur dans la maison et apporteraient leur aide au travail lorsqu'ils seraient grands. Il y aurait le mouvement incessant de la clientèle, le tohu-bohu des banquets, mais chaque soir et pendant les jours creux, elle profiterait de ce havre qui l'avait déjà ensorcelée. Elle souhaita alors que ce bonheur durât longtemps !

Hélas, elle n'avait pas eu d'enfant et Joseph avait disparu en pleine force de l'âge... Mais elle surmonta les épreuves grâce à l'auberge. Depuis son veuvage, elle accomplissait un travail qui lui fournissait un gain suffisant. Pour se délester des travaux domestiques, elle vendit le mobilier des chambres et mit à profit son temps libre pour entretenir le pourtour de l'auberge et le potager. Elle put ainsi concocter des plats simples avec les légumes qu'elle cultivait et les agrémenter avec des herbes aromatiques. Les clients louaient sa cuisine, aussi simple qu'elle fût. Mais Amélie n'avait beaucoup de monde que les jours de foire ou de marché, et le dimanche, où arrivaient des abonnés de Saint-Baptiste et de Rimont. Les autres jours, c'étaient les habitués, artisans et paysans de la Valny, de Chazelle, de Lieudieu et des autres hameaux. L'aubergiste conserva de bonnes relations avec ses fournisseurs en boissons, ainsi qu'avec les marchands ambulants. Les pêcheurs et les chasseurs du pays continuèrent à lui vendre à bas prix les produits de leur braconnage. Cette manne lui permettait d'inscrire à sa carte brochets, truites, et saumons, qui remontaient par la Donge depuis l'océan après la Toussaint ; il ne manquait pas non plus de carpes dans le lac de Chazelle, au-dessus duquel les habitants tendaient la nuit leur ligne en laiton.

Quant au gibier ! La pose des collets remplissait les musettes de lièvres et de garennes qu'on lui apportait discrètement à la tombée de la nuit. La plupart du temps, les livreurs ne repartaient pas sans un canon de vin rouge et un casse-croûte en prime. Pour compléter le tableau : des faisans, des perdrix et des cailles qu'Amélie préparait, selon les recettes héritées de sa mère, dans ses cocottes en fonte, ses marmites et ses chaudrons. Bref, on lui livrait si bien toute victuaille qu'elle n'avait pas à se déplacer. Le bois pour alimenter le fourneau et la cheminée, c'était son voisin, le père Laurent, qui le lui fournissait, en bûches et en fagots, ainsi que le lait et le porc !

Grâce à l'auberge, Amélie surmonta la dure épreuve de son veuvage et recommença à sourire – jusqu'à ce que l'année suivante, Raoul Mallet entrât dans sa vie. Ce jeune homme, de seize ans son cadet, elle le connaissait fort bien, puisque Joseph l'avait embauché par le passé. Il avait été chargé des livraisons et de l'entretien de la propriété. Il ne garda son emploi que quatre mois, car au décès de Joseph, elle avait dû le remercier et ne l'avait plus revu. Or, un beau matin de janvier 1922, il réapparut, apportant avec lui son charme mûri. Il venait demander le logis à Amélie pour une période de trois mois, durant laquelle il allait travailler chez Albert Roux, un paysan de Chazelle. Il lui promit de payer sa pension à la fin de son contrat. En raison des bons rapports qu'ils avaient entretenus deux ans plus tôt, elle ne put refuser. Le garçon était travailleur et de bonne foi. Mais elle voulut savoir pourquoi il ne demeurait pas chez son employeur.

— Figurez-vous qu'il voulait me prendre le couvert et l'abri sur mes gages. J'ai refusé. En plus, il ne m'offrait qu'une vieille grange

pleine de rats et de bêtes rampantes ! Voilà
pourquoi je préfère prendre pension chez vous,
Amélie.

— Il en a de drôles de façons, l'Albert
Roux ! Vous êtes le bienvenu, Raoul et ne
vous inquiétez pas pour la pension, elle sera
légère. Joseph aurait été bien heureux de vous
revoir...

Il la regardait, un sourire au coin des lèvres.
Elle remarqua la tache noire sur son menton et
ses joues, qui trahissait une importante pilo-
sité qu'elle ne lui avait pas connue par le
passé. Les yeux d'Amélie glissèrent dans
l'encolure de sa chemise, où frisaient des poils
aussi noirs que ses cheveux. Certes, il avait
changé, mais on voyait encore l'éclat de sa
jeunesse dans sa beauté virile. Elle baissa le
regard. Raoul promenait sur elle ses grands
yeux couleur pain d'épice. Ils étaient emplis
d'une lueur étrange. Elle se détourna alors et
lança :

— Je n'ai gardé qu'une seule chambre
meublée, c'est une chance ! Je vais vous la
montrer.

Elle le conduisit à l'étage, dans la chambre
placée face à la sienne. Parce qu'une odeur de

renfermé y flottait, elle alla ouvrir la fenêtre pour y faire entrer l'air printanier. Raoul jeta son bagage sur le lit et s'exclama :

— C'est beau chez vous, Amélie ; je suis heureux d'avoir vue sur ce côté-là, ça me rappelle le bon temps que j'ai passé ici autrefois !

— Il n'est pas si lointain, répondit-elle, amusée.

— Il me semble loin à moi, il y a... euh... deux ans ? J'ai changé... Pas vous !

Elle s'aperçut bien qu'il l'examinait de la tête aux pieds avec un regard appuyé. Elle crut pourtant que la lueur dans ses yeux était le fruit de son imagination. Ce n'était là qu'un brin de tendresse venu du passé !

— Oui, vous avez changé, mais moi bien plus que vous ! s'écria-t-elle dans un rire. Et ce n'est certainement pas à mon avantage, contrairement à vous, mon petit Raoul.

— Vous vous trompez, Amélie, dit-il d'une voix grave, avec un ton légèrement rebelle. Comme vous vous trompiez d'ailleurs autrefois.

Elle aurait bien aimé une explication mais ne l'interrogea pas car un souvenir venait de lui revenir et donnait un sens à ces paroles quelque peu confuses. Un jour, en présence de Raoul, elle avait en effet avoué à un client qui louait ses joliesses qu'elle ne s'en trouvait aucune, et Raoul s'était écrié : « Oh si, elle est jolie, madame Viscomte ! »

Les mots qu'il venait de prononcer avaient suffi pour lui faire revivre cet épisode, comme s'il s'était produit la veille. Elle adressa un sourire au jeune homme, et, passant devant lui, murmura :

— Rangez donc vos affaires, Raoul, et venez prendre le café avant de vous rendre chez Albert Roux.

Elle franchit la porte sans lui adresser un regard et descendit l'escalier, plus leste que d'ordinaire. En arrivant dans la cuisine, où ne rentrait jamais le soleil du matin, elle y vit une clarté nouvelle et sentit de la chaleur. Elle s'adonna à ses occupations en fredonnant. Raoul se montra cinq minutes plus tard, vêtu d'un pantalon de velours noir et d'une chemise bleue dont il avait relevé les manches, découvrant ses bras musclés, aussi poilus que l'était son torse. Un peu gauche, il prit place à la table où elle posait un bol de café, une miche de pain, du saucisson et du lard maigre. Il mangea avec un bel appétit tandis qu'elle poursuivait ses tâches matinales, l'œil souvent tourné vers lui. Quand il eut fini, il partit en lui rappelant son retour, vers 21 heures.

5

Les jours coulèrent. Deux mois d'une existence tranquille dont Amélie semblait la seule
maîtresse. Mais c'était sans compter ses
émotions, ses sentiments… et la fatalité ! Ce
soir-là, tandis que l'orage grondait, comment
aurait-elle pu résister quand, dans le ballet des
éclairs, le jeune Raoul entra dans sa chambre,
aussi déchaîné, aussi impétueux que le climat ?
Comment aurait-elle pu résister quand il
promena ses lèvres sur son visage, ses mains
sur son corps, lui offrant des caresses qu'elle
n'avait jamais connues et dont la fougue attisait un plaisir insoupçonné ? Comment aurait-
elle pu mettre un frein à ce divin inconnu ?
Ah ! Comment une affamée aurait-elle pu

repousser cette exquise nourriture qui lui était offerte ?

Depuis presque deux mois, Amélie était consciente de son trouble. Chaque fois que Raoul était près d'elle et qu'elle surprenait son regard cajoleur, un courant chaud circulait dans ses veines. Elle n'avait pas ressenti cela depuis des années, et jamais avec Joseph. Même lorsqu'il s'allongeait sur elle pour que fuse son propre plaisir. Il allait si vite, le Joseph, qu'elle l'avait toujours comparé à un bouc ! Il ignorait les préliminaires et leurs effets. Il ne s'adonnait pas non plus aux caresses des yeux. Jamais elle ne s'était sentie désirée. Alors, ce soir-là, avant l'arrivée de l'orage, parce que Raoul l'avait longtemps séduite du regard, et parce qu'elle avait deviné son émoi, elle avait eu une conscience redoublée du sien. Après maints efforts pour le chasser, elle était montée tôt dans sa chambre, et avait entendu les pas du jeune homme derrière elle. Pour la première fois depuis qu'elle n'était plus une jeune fille, elle s'était plantée devant son miroir. Elle avait contemplé ses yeux noirs un peu obliques, son nez en trompette qui ne lui donnait plus le même charme que dans sa jeunesse. Elle observa ses lèvres minces, qu'elle n'avait jamais aimées car elles lui conféraient de la froideur, et ses cheveux châtains déjà parsemés de fils blancs. En découvrant pour la première fois quelque beauté à son visage, elle avait souhaité que Raoul vînt enfin ! Un quart d'heure plus tard, il était entré dans sa chambre et Amélie s'oublia dans la jouissance ; elle oublia Joseph et sa vie morose. Elle aima Raoul éperdument, corps et âme.

Dans les jours qui suivirent, elle vécut du matin au soir dans un rêve d'amour, dans l'attente émouvante de son jeune amant qui passait toutes les nuits dans son lit. Ils échangeaient plus d'étreintes que de mots. Ils ne parlaient un peu que pendant le souper, mais la présence d'un hôte les obligeait souvent à la discrétion. Au pays, tout le monde savait que Raoul Mallet était le seul pensionnaire de l'Auberge du lac. Mais qui aurait soupçonné qu'il pouvait être l'amant de la veuve Viscomte, qu'on aurait pu par ailleurs prendre pour sa mère ? Quelques mauvaises langues tentèrent bien de faire courir des rumeurs mais elles s'estompaient presque aussi vite qu'elles naissaient. À cette époque, les prétendants se présentaient en grand nombre devant une Amélie embellie qui les rejeta tous, alléguant son récent deuil pour s'interdire toute liaison. Alors oui, qui aurait pu croire qu'elle se donnait à son jeune pensionnaire ? Cependant, leurs rencontres nocturnes perduraient, et même plus que prévu, car Albert Roux, dont le berger était mort, avait prolongé la période de travail de Raoul. Mais vers la mi-juin 1922, leurs retrouvailles se raréfièrent. Le jeune homme rentrait souvent tard et gagnait directement sa chambre. Amélie eut de l'inquiétude mais ne lui demanda aucune explication. Puis il ne vint plus du tout dans sa chambre et elle commença à comprendre qu'elle s'était illusionnée. Elle émergea de sa folie quelque temps après en apprenant de la bouche d'un habitué de Chazelle que le bel oiseau roucoulait avec la fille aînée des Roux. Dégrisée, Amélie subit pourtant bien des souffrances et éprouva bien des remords. Elle fit son mea-culpa, sans se douter qu'elle devrait encore expier à l'avenir. Elle parla à Raoul qui n'osa avouer ses fredaines, honteux sans doute d'avoir témoigné une telle frénésie d'amour. Il quitta néanmoins l'auberge dès le lendemain.

La veuve tenta de l'oublier grâce au travail, s'activant davantage au jardin et dans la préparation des repas. Ce fut seulement des jours plus tard qu'elle soupçonna son état. Pauvre Amélie ! Elle n'avait jamais prêté attention à son cycle menstruel, souvent irrégulier ; n'ayant pas eu d'enfant de Joseph, elle se croyait inféconde. C'était la raison pour laquelle elle n'avait pris aucune précaution avec Raoul, l'aimant et se laissant aimer en toute liberté. Loin d'elle l'idée de tomber enceinte ! Le retard de règles la jeta dans une grande angoisse, mais elle attendit encore, bêtement, nourrissant l'espoir qu'il s'agissait d'un phénomène anodin. Elle attendit des jours encore, priant comme une sotte Dieu et tous ses saints. Elle le supplia même de ne pas punir son égarement si sévèrement. Hélas, ses règles n'arrivèrent point. Trois mois s'écoulèrent. Sa taille épaississait ! Elle prit enfin la décision d'aller voir sa vieille tante Berthe au village de Corsou. Son unique parente était accoucheuse. D'un pas alourdi par la honte, elle monta là-bas un jour creux, sans foire ni marché. Qu'allait penser tante Berthe de sa conduite ? Bah ! Cette vieille femme avait dû avorter beaucoup d'épouses volages ou de jeunes gourgandines. Et puis, elle était discrète, Berthe, compréhensive, et elle était sa parente ! Elle saurait garder le secret. Ainsi, lorsqu'elle fut assise face à elle dans sa cuisine, Amélie alla directement au but :

— Je crois que je suis enceinte, et je ne peux garder l'enfant vu mon âge et ma situation. Il faut que tu m'opères, tante Berthe.

— Je comprends pour ta situation, mais tu es encore en âge d'être mère, répondit Berthe.

Sans en rajouter, elle fit déshabiller la patiente, et demanda :

— De combien ?

Amélie resta bouche bée, ne saisissant pas le sens de la question.

— Tu n'as pas eu tes règles depuis combien de temps ?

— Euh, trois mois peut-être bien... Je n'ai pas fait attention.

— Boudiou ! s'écria Berthe en secouant une main, tu aurais pu venir me voir avant ! Allez, enlève tes culottes et écarte les jambes !

Allongée sur la table, rougissante, Amélie

s'exécuta. Elle ne tarda pas à sentir les doigts qui la fouillaient. Une douleur lui tira une grimace et Berthe retira la main.

— C'est bien bizarre là-dedans, on dirait que tout est retourné – je veux dire, ton utérus. Tu n'aurais pourtant pas pu être enceinte dans ce cas ! Es-tu sûre de ce que tu avances pour tes règles ?

Amélie opina avec un regard de désarroi.

— Trente-huit ans, c'est trop jeune pour être ménopausée ! lança Berthe. Eh bien, on va voir ça de plus près.

L'accoucheuse disparut de la cuisine et revint quelques minutes plus tard avec deux aiguilles à tricoter. Avant de commencer l'opération, elle avertit la jeune femme d'une possible douleur. Amélie ferma les yeux et serra les mâchoires. Mais l'instant suivant, elle les rouvrit et se retint de ne pas hurler. Cela dura cinq bonnes minutes, durant lesquelles elle vit le visage de tante Berthe se contracter à plusieurs reprises et se couvrir de sueur. La douleur devint si insupportable qu'Amélie cria. Berthe releva la tête et la rejeta en arrière. L'une des aiguilles tomba sur les dalles de lauze.

— Je ne peux rien faire pour toi, ma fille !

Amélie se redressa sur les coudes. Voyant du sang sur la table, elle s'écria :

— Que se passe-t-il ?

Berthe la considéra un instant avant de dire :

— Je ne sais pas, tu es drôlement faite, je n'y parviens pas !

Elle cachait mal son embarras, ne sachant si cet échec relevait de son incompétence ou d'une malformation chez la jeune femme. Affolée, Amélie s'écria :

— Mais que vais-je faire ? Je ne peux pas garder cet enfant !

Comme aucune réponse ne se faisait entendre, elle ajouta :

— J'irai voir une autre accoucheuse, ou le médecin, voilà !

— Le médecin ne t'avortera pas, et une autre accoucheuse ne fera pas mieux, répliqua Berthe. Allons, ma fille, calme-toi !

Elle réfléchit un court instant en se frottant le menton de sa main tachée de sang.

— Je vais te donner des potions. Si, dans huit jours, rien n'est tombé et que tes règles ne sont pas revenues, tu devras garder ton marmot ! Est-ce si catastrophique que ça ? Tu ne seras pas la seule veuve à enfanter. Tu dois être enceinte de quatre mois au moins.

Dès qu'elle avait entendu le mot « potion », Amélie avait retrouvé un peu d'espoir. Elle avait foi dans les médications de sa tante qui, comme tout le monde le savait, avaient guéri un paysan de Corsou atteint d'une rare affection que le médecin n'était pas parvenu à enrayer.

— Je veux les potions, murmura-t-elle en se frottant le bas-ventre.

Elle regarda ses cuisses, entre lesquelles coulait un peu de sang. Le filet semblait déjà s'être amoindri et elle s'essuya avec un linge que Berthe lui tendit. Maîtrisant sa douleur, elle rabattit ses jupons et alla s'asseoir sur une chaise. Pitoyablement, elle attendit que la vieille femme eût lavé ses mains et préparé les remèdes. Berthe lui présenta deux boîtes pleines de feuilles et de fleurs et lui indiqua les doses à utiliser en décoctions. Puis elle lui donna un autre étui, rempli d'un onguent qu'elle préconisa en cataplasme sur le bas-ventre. Enfin, elle offrit à Amélie un verre de sirop de cassis de sa confection et en but un d'une traite. Toutes deux économisèrent leurs paroles, comme gênées par la scène qui venait de se dérouler ou par des choses qu'elles n'osaient dévoiler. L'atmosphère dans la pièce était malsaine ; une odeur de sang flottait dans l'air et poussa Amélie à prendre congé. Sur le seuil, elle demanda toutefois :

— Tu crois que ça va marcher, tante Berthe ?

— Je ne peux rien t'assurer, mais ça a fait son effet chez d'autres !

— Je sais que je peux compter sur ta discrétion, murmura Amélie avant de se précipiter dans la cour où picoraient des volailles.

Le silence de Berthe n'angoissa pas l'aubergiste : elle avait eu le temps de voir son hochement de tête et savait que sa tante était de parole. Un peu plus loin, hors de vue de sa parente, la veuve ralentit le pas, freinée par la douleur qui irradiait maintenant jusque dans ses reins. De peur de se vider de son sang, elle entra dans un fourré et vérifia qu'il ne coulait plus. Elle eut hâte de rentrer à l'auberge pour préparer les tisanes. Elle mettrait des doses plus importantes que celles préconisées par sa vieille tante. Quant à la pommade, elle trouverait bien un moyen pour la garder sur le ventre nuit et jour !

Chemin faisant, l'aubergiste songea aux faits qui l'avaient menée dans cette situation. Et elle pleura, comme au temps où elle pleurait de ne pouvoir avoir d'enfant avec Joseph. Elle en avait tant désiré un… Et maintenant, elle priait pour que celui-là ne vînt jamais au monde ! Outre les remèdes de tante Berthe, Amélie exécuterait tous les exercices possibles, comme monter l'escalier en trombe, ou sauter par la fenêtre de la cuisine. Elle ferait tout plusieurs fois… Elle était tant accrochée aux principes, Amélie, qu'ils dépassaient sa raison.

Les huit jours s'écoulèrent, pendant lesquels la veuve s'abreuva de tisanes, se couvrit de cataplasmes et s'épuisa en exercices. Mais le fœtus survécut. Déjà, son ventre et ses hanches s'arrondissaient. Amélie le sentait à présent vivre au fond de ses entrailles. Il bougeait. La future mère passait par tous les états, tantôt désespérée, tantôt prévoyante, se disant : « Ce n'est pas une catastrophe. Si Joseph te voit de là-haut, il te pardonnera. » Parfois elle se tapait le ventre ou le caressait, songeant que le bébé ressemblerait à un ange, qu'il aurait la beauté de Raoul. Dans ses délires, elle pensait qu'il était le fruit du Divin et non celui de ses amours avec le jeune homme. Cette grossesse non souhaitée devenait alors désirée. Ce qui ne l'empêcha pas de la cacher aux yeux des gens… L'aubergiste jeûna souvent, se serra avec des bandes et des corsets, porta des vêtements larges et adopta une attitude vigilante qui laissait croire qu'elle était alerte comme une jeune fille. Personne au pays ne s'aperçut de son état. Certains jours, dans une grande lucidité, elle prenait la résolution de dévoiler sa grossesse. Si on lui demandait qui était le père, elle répondrait qu'il était inconnu. Son enfant ne serait pas le seul dans ce cas ! Mais une raison obscure venait toujours contrecarrer sa décision au dernier moment. Elle se disait : « Plus tard, plus tard. »

Le temps fila. Jusqu'au jour où elle sut que le moment arrivait d'aller revoir sa tante Berthe, qui devait d'ailleurs se soucier de son devenir. Amélie était remontée à Corsou en septembre pour annoncer à l'accoucheuse l'inefficacité de ses tisanes, avec l'espoir d'un nouvel essai. Mais Berthe s'y était opposée, car les risques étaient trop grands et la grossesse trop avancée. L'aubergiste était effectivement déjà bien ronde et marquée par le masque. Voyant son accablement, sa tante Berthe avait toutefois trouvé les mots pour lui redonner moral et espoir. Elle lui avait même promis de lui apporter son aide pendant la période qui suivrait la naissance. La vieille femme séjournerait même quelques jours à l'auberge s'il le fallait.

Ce soir de janvier 1923, Amélie avait besoin de tante Berthe pour accoucher. Sous une forte bise et dans un grand froid, elle gravit donc la route jusqu'à Corsou, regardant scintiller dans le ciel épuré les étoiles auxquelles elle accrochait ses espoirs. Quand l'enfant serait là, elle le montrerait à tous, sans peur de dire qu'il était l'enfant de Dieu. On se moquerait d'elle, certes ! Beaucoup feraient le rapprochement entre cette naissance et la présence de Raoul à l'auberge. Mais qu'importait ! Les mauvaises langues se détourneraient bientôt d'elle et déblatéreraient sur une autre fille-mère du pays. Puis l'enfant serait adopté. Le temps ferait son œuvre.

La parturiente fut bien réconfortée par

Berthe qui la pria de ne pas se soucier des ragots futurs. Un jour ou l'autre, tout le monde en était la cible ! Par ailleurs, Amélie était veuve, donc libre de faire un enfant et de l'élever. Et elle avait les moyens pour. La vieille femme l'examina donc et annonça que le petit naîtrait au cours de la nuit. Amélie voulait accoucher à l'auberge. Sûre de pouvoir faire le chemin en sens inverse, elle pria Berthe de s'y rendre avec elle comme convenu. Elle lui demanda d'assumer le travail quotidien durant les prochains jours, le temps de se remettre. Berthe acquiesça et jeta rapidement quelques instruments dans un sac. Elles s'en furent sur la route et sous la bise, l'une pliée en deux, l'autre la soutenant du mieux qu'elle pouvait.

À peine furent-elles arrivées à l'auberge qu'Amélie perdit les eaux. Une contraction l'obligea à s'aliter. Berthe l'abandonna un moment pour aller à la cuisine préparer le matériel nécessaire : une bassine d'eau chaude, des linges propres, une aiguille à coudre en cas de déchirure importante. La vieille femme tentait de chasser ses inquiétudes, mais un mauvais présage l'habitait. Allongée sur son lit, la future mère retrouva à cet instant une sérénité à laquelle elle n'avait pas goûté depuis des mois, ainsi qu'une clairvoyance qu'elle n'avait plus connue après s'être perdue corps et âme dans ses amours secrètes. Cette naissance lui apparaissait maintenant des plus heureuses. Ce désir d'enfant n'avait-il pas été le plus fort de sa vie ? Ah, qu'importait qu'il n'eût point de père : elle serait son unique souffle ! À cet instant crucial, Amélie réalisait que ses souffrances morales avaient davantage découlé de sa grossesse que de la fin de son histoire d'amour, dont elle se doutait bien qu'elle ne durerait pas. Elle avait vécu son amour au jour le jour, sans se douter qu'elle engendrerait un enfant. Quelle idiote avait-elle été, à endurer ainsi toutes les affres, à passer toutes ces nuits blanches, à verser des larmes, à se faire un mal plus grand que celui qui lui était infligé !

Les contractions se rapprochaient et la parturiente souriait aux poutres du plafond, béatement. « Nais donc, mon petit », murmurait-elle quand Berthe entra dans la chambre.

La future mère poussa de toutes ses forces, chaque fois que son corps et la vieille femme lui en donnèrent l'ordre, et elle contint sa douleur en pinçant les lèvres. Une heure plus tard, elle laissa échapper des cris dont elle n'avait même pas conscience. Sans doute perdit-elle plusieurs fois connaissance. Pourtant, au paroxysme de sa douleur, dans un moment de lucidité affreuse, elle demanda à Berthe :

— Que se passe-t-il ? Pourquoi mon enfant ne vient-il pas ?

La vieille femme ne répondait pas. Entre chacune des plaintes d'Amélie, le silence avait une profondeur inquiétante. Berthe s'évertuait à ouvrir les chairs de sa pauvre nièce pour favoriser le passage de la tête. En vain ! Pourtant l'ouverture était béante et elle avait déjà cisaillé le périnée à plusieurs reprises. Elle redoutait de tailler jusqu'au noyau central, car après une si complète destruction, il faudrait recoudre à vif ! En serait-elle capable ? La tête de l'enfant ne passait toujours pas ! Pour la première fois de sa carrière, Berthe souhaita la présence d'un médecin. Las, il n'était plus temps d'aller en quérir un. Si l'enfant ne sortait pas, bientôt il périrait, et sa mère avec lui !

L'accoucheuse essuya la sueur de son front d'un revers de poignet et contempla Amélie, dont le visage pâle et déformé par la douleur l'alarma. Il ne fallait plus attendre ! La tante s'empara de ses ciseaux et, d'un coup franc, coupa le périnée, en prenant toutefois garde à ne pas atteindre le crâne de l'enfant. Dans la chambre monta un hurlement qu'on ne saurait qualifier, puis un autre et encore un autre, tandis que la vieille femme fouillait dans la chair ensanglantée pour saisir l'objet de ses peines. Enfin, elle le tira hors du corps qui avait si longtemps rejeté son existence. Le regard de l'accoucheuse se couvrit alors d'épouvante, et elle poussa un cri au moment où le reste du corps jaillit dans ses mains.

6

J'entendis le cri de tante Berthe, mais je ne lui accordai pas de signification particulière, car j'étais près de m'évanouir. J'avais conscience que mon accouchement était terminé. Il avait été si affreux ! Aucun mot ne pourrait traduire l'horreur de mes souffrances, mais je les avais endurées en songeant au petit qui allait sortir de mon ventre. Ma mémoire avait englouti d'un coup les épreuves que j'avais subies pendant ma grossesse ; je n'avais plus peur des lendemains ni de l'instant présent car je faisais confiance à tante Berthe – sauf quand elle dut m'ouvrir afin que mon enfant vînt au monde. Il s'écoula ensuite un long moment, durant lequel je ressentis une sorte de soulagement.

J'étais cependant si affaiblie que je ne mani-
festai pas encore le désir de voir l'enfant. Je
devinais que ma tante était au fond de la pièce
avec le bébé, en train de l'aider à respirer
convenablement. J'étais certaine d'entendre
d'une minute à l'autre ses petits vagissements.
Or, elle revint, sans lui et sans que le moindre
cri n'eût retenti. Je relevai difficilement la tête
et lui demandai :

— Où est-il ?

— Là, sur une couverture, répondit-elle
d'une voix si pleine de gravité qu'elle éveilla
mes soupçons.

Je tournai les yeux là-bas, mais dans
l'ombre, je ne vis qu'une forme sur la couverture.

— Il va bien ?

J'étais déjà alarmée, à cause du silence,
plus inquiétant que sa voix. Je m'écriai :

— Tante Berthe, il est vivant ?

— Oui, il est vivant.

— Il ?

— Oui, il !

Un fils ! Mon souhait était exaucé ! Dans
les instants où je n'avais plus honni ma grossesse, je rêvais en effet d'un fils. J'imaginais

qu'il hériterait de la beauté de Raoul. La nouvelle m'avait plongée dans un bonheur qui m'avait fait oublier le ton grave de ma tante. Quand elle se planta au pied du lit, une grosse aiguille à coudre dans les mains, je m'affolai :

— Que se passe-t-il encore ?

— Il faut te recoudre ma petite. L'entaille est trop grande ; elle risque d'entraîner une infection, ou même la perte de ton utérus.

Mon Dieu ! À l'idée de devoir supporter un mal aussi fort que celui déjà enduré, une peur terrible m'envahit. Je refusai radicalement la suture. À ma terreur se mêlait la déception de ne point avoir vu mon garçon. Comme si la douleur que j'imaginais devoir subir me rompait déjà, je demandai alors en hurlant :

— Pourrais-je le voir avant, au moins ?

— Je désinfecte et je recouds ; l'enfant, ce sera pour après, répondit ma tante d'un ton plus froid.

Mais elle ajouta aussitôt :

— Ne t'en fais pas, j'ai amené de quoi alléger tes souffrances.

J'obéis alors. J'étais en proie à une grande appréhension mais la promesse de voir ensuite mon enfant me donna du courage. Je ne trouve ici aucun intérêt à décrire des maux que j'ai si longtemps tenté d'oublier. Je puis dire qu'ils ne durèrent heureusement pas très longtemps, grâce au savoir-faire de ma bonne tante qui me révéla avoir, de la même façon, recousu d'autres femmes. Quand tout fut fini, d'une voix pleine de faiblesse, je m'exclamai :

— Donne-moi mon bébé à présent.

Tante Berthe vint près de moi et posa doucement son aiguille sur le chevet. Elle saisit ma main et me regarda profondément. Dans ses prunelles bleues, je décelai vite un élément tragique, et fis immédiatement le rapport avec mon enfant. Négligeant sa faiblesse, mon cœur se mit à tambouriner. J'avais envie d'interroger tante Berthe, mais une horrible appréhension me retenait. J'attendis dans l'angoisse. Elle se décida enfin à parler :

— Amélie, l'enfant est né avec des malformations.

Je ne saurais expliquer ce que je ressentis et ce à quoi je pensai. Je crois me souvenir que des images ont défilé à une allure folle dans mon esprit, de moi petite fille, de mes parents et de mon défunt mari, de Raoul et de nos ébats passionnés. Mais je voulais à tout prix savoir de quelles malformations souffrait mon enfant.

— Qu'est-ce donc ? demandai-je.

Tante Berthe soupira avant de dire :

— Il a une tête énorme, les membres irréguliers, des taches sur le corps et...

Je l'écoutais avec l'envie de me rouler dans les draps pour me débarrasser de ma douleur, mais la souffrance physique me tenait immobile et raide. Je mordis mes doigts, étouffant ainsi les cris venus du tréfonds de mon être. Ma tante s'était interrompue. Au bout d'un moment, dont je ne puis évaluer la durée, je demandai :

— Et quoi encore, mon Dieu ? Quoi encore ?

— C'est vers les yeux qu'il y a quelque chose d'anormal... et aussi cette grosseur sur le côté gauche du visage... Mais je dois l'examiner davantage.

— Je veux le voir ! criai-je.

Berthe se redressa brusquement, et j'eus l'impression qu'elle s'était résolue à satisfaire mon souhait. Pourtant, alors qu'elle se dirigeait vers le fond de la chambre, elle se retourna et me demanda :

— Es-tu bien sûre, ma fille ?

— Je veux le voir ! Il me faudra de toute manière bien le voir tôt ou tard !

Elle s'arrêta, et jeta d'une voix que je n'oublierai jamais :

— Tu n'es pas obligée de le voir ! Écoute : personne ne sait que tu étais enceinte, il suffirait de... Le lac n'est pas loin... Je peux m'en charger !

J'avais compris ce qu'elle envisageait et l'imaginai avec une horreur indicible. Était-ce sa voix ou ses paroles que je n'ai pu oublier ? Ah, je ne pouvais y croire ! Les malformations de l'enfant étaient-elles si affreuses pour pousser ma tante à un tel acte ? Je voulus en avoir la preuve et lançai :

— Tais-toi ! Comment pourrais-tu agir ainsi sans être toi-même un monstre ? C'est mon enfant, et je veux le voir, tu m'entends ?

Elle demeura un instant à me regarder, comme indécise. J'eus le sentiment qu'elle allait reformuler sa proposition et j'ajoutai d'un ton sec :

— Je veux le voir ! Obéis !

Toute son audace sembla la quitter. Ses épaules s'affaissèrent quand elle murmura :

— C'est toi qui décides, mais je t'aurai prévenue !

Elle se dirigea vers le fond de la chambre. Je me soulevai sur mes coudes et forçai ma vue. Dans la pénombre, je vis Berthe se pencher sur l'enfant et le saisir. En cet instant, sous le coup de l'angoisse, je manquai m'évanouir, mais le désir de connaître mon bébé était si fort que je tins bon dans mon lit. Au fur et à mesure que la lumière de la lampe l'englobait, je distinguai le petit corps, du moins ses contours et de beaux reflets dorés sur sa peau nue. L'émotion me coupa le souffle ! Je ne voyais rien alors de ce que m'avait énuméré ma tante. Mais quand elle fut à deux pas de moi, que la lumière éclaira la tête énorme et le visage étrange de l'enfant, j'ouvris grand les yeux. Après avoir avalé ma salive, poussée par une force intérieure, je le regardai avec une sorte d'avidité. Oui, aussi curieux que cela puisse paraître, il me tardait de découvrir les tares physiques décrites par Berthe. Ses paroles se vérifièrent, puisque le petit être avait le bras gauche plus long que le droit. Je jugeai le premier membre très frêle, mais quand je l'eus bien observé, je compris que l'anomalie venait du bras droit, dont la grosseur dépassait la normale. Les jambes, quant à elles, souffraient des mêmes défauts, mais inversés. La jambe gauche était plus dodue et se terminait par un pied plus long que le droit. Par quelle cruelle fantaisie la nature avait-elle mis tant d'asymétrie chez mon enfant ? Et ce nanisme, et ce gigantisme ? Mais ce n'était pas tout ! Son ventre s'ornait d'une grande tache couleur café au lait, toute criblée de tubérosités qui me firent penser à des verrues.

Ah ! Ce spectacle m'avait vidée de mes dernières forces ! Je me laissai retomber sur le lit en poussant des plaintes qui auraient bouleversé n'importe qui. Tante Berthe eut beau tenter de me consoler, elle n'y parvint pas. Je crois que je me suis évanouie. Je m'éveillai à l'aube. Je n'avais fait aucun rêve. Sans doute avais-je plutôt connu le coma que le sommeil. Et comment rêver après avoir vécu un tel cauchemar ?

Hélas, après cette trêve, la réalité me tomba dessus sans fard et j'entrai à nouveau dans le tourment. *Je gémis. Tante Berthe venait de déposer mon petit déjeuner sur le chevet. Elle avait ouvert les persiennes, mais la lumière du jour était si faible qu'elle avait laissé brûler la lampe. C'est alors que je pris conscience du silence de l'enfant.*

— Tante Berthe, pourquoi ne crie-t-il pas ? demandai-je, affolée.

— Je pense qu'il est muet, répliqua-t-elle d'une voix affaiblie par sa nuit de veille.

Je reçus mal le choc. Mais comme il est logique de songer à la surdité quand on évoque le mutisme, je demandai encore :

— Et... il est sourd ?

— Je ne sais pas... On devrait s'en apercevoir dans peu de temps.

Je fixais ma tante, qui me considérait de ses yeux clairs pleins de compassion.

— Et si on fait un grand bruit ?

— J'ai essayé, mais je crois qu'il est trop petit.

Elle s'assit au bord du lit et prit ma main dans les siennes. Je ne fis aucun geste, même si je me remémorai sa proposition de la veille. Je lui avais pardonné, sachant qu'elle avait parlé dans un moment d'effarement.

— *Bois et mange, ma fille, il te faut retrouver des forces. Ensuite, il faudra que tu allaites l'enfant. Après nous parlerons de... l'avenir. Je dois aussi penser à préparer le manger, parce que les habitués ne vont pas tarder à venir.*

7

Je ne me souviens plus exactement du déroulement de cette matinée. J'ai donné le sein au petit dès que ma tante me l'eut apporté et qu'elle se fut rendue au rez-de-chaussée pour accueillir les clients. Je ne songeai même pas aux arguments qu'elle leur donnerait pour justifier sa présence. Elle leur laissa en fait croire que j'étais alitée à cause d'une forte grippe. M'ayant trouvée malade juste au moment de sa visite annuelle, elle avait décidé de rester jusqu'à ma guérison. Elle avait également avancé qu'un séjour à l'auberge lui serait des plus salutaires, car la solitude de Corsou commençait à lui peser.

Ce matin-là, j'eus donc tout le loisir de contempler mon enfant, pendant la tétée et même après. Je dis bien « contempler », comme on le ferait avec un ange ! Car sa laideur n'avait, pour moi, déjà plus d'importance. Que l'on me comprenne bien : je veux dire qu'elle ne m'épouvanta pas, pas plus qu'elle ne m'effraya les années suivantes. Quant à mes angoisses et mes craintes, je les avais mises de côté durant cet instant où nous communiquions pour la première fois, par-delà l'incroyable. Ce contact avait quelque chose de surnaturel pour moi. Comment dire ? Je ne savais plus si je vivais cet instant ou si je le rêvais. En tout cas, j'avais déjà la certitude d'être l'unique souffle de ce petit être – ce que j'avais souhaité avant sa naissance. Je savais désormais qu'il ne pourrait vivre sans moi, et je fis la promesse de veiller sur lui bien davantage que sur la prunelle de mes yeux.

Pendant qu'il suçait mon sein débordant de lait, je lui parlais. Chaque fois que ses étranges lèvres serraient un peu plus fort, je le caressais. Quand il fut rassasié, je l'installai contre moi. C'est là que je m'aperçus de l'anomalie de ses yeux : le gauche était enfoncé dans son orbite, et le droit bizarrement saillant. Je me demandai de quelle couleur ils pouvaient bien être lorsqu'il les ouvrit, comme s'il m'avait entendue ! Je n'eus pas le temps d'en apercevoir la teinte, mais nos regards s'étaient croisés, et il me sembla qu'à travers cet échange, si court fût-il, la communication s'établissait. Je caressai sa tête démesurée et la protubérance sur la partie gauche de son visage, là où la peau était fine comme du papier à cigarette. Une veine bleue y battait très rapidement ; j'eus la conviction profonde qu'elle était le signe d'une forte envie de vivre. Je songeai au dessein de ma tante et frémis en serrant tendrement le petit contre mon cœur. Il s'était endormi. Ah, je l'aimais déjà tellement ! J'écoutais sa respiration quand la voix de stentor de Robert Laurent, le jeune fils de notre voisin, monta à travers les lames du plancher. J'entendis quelques bribes de sa conversation avec ma tante et compris alors qu'elle se débrouillait fort bien pour assurer le service.

La cave et le cellier débordaient heureusement de marchandises. Le vin non plus ne manquait pas car j'avais pris la bonne habitude d'en faire des stocks importants à chaque visite de mon fournisseur. La dernière était récente. Tante Berthe avait ainsi pu préparer le repas pour deux clients de Chazelle et je ressentis une grande gratitude à son égard. Car comment aurais-je pu tout assumer sans elle ? J'étais si faible, si désemparée, dans un tel état de choc, que je n'aurais pu donner le change à mes clients comme lors de ma grossesse.

En début d'après-midi, tante Berthe remonta dans la chambre. Quand elle me vit avec l'enfant si bien serré contre moi, je discernai sur son visage un sourire vague qui fit naître en moi une espérance dont j'avais besoin. Elle retrouva ensuite sa gravité et vint subitement m'enlever l'enfant. Elle le remit sur la couche provisoire et s'assit au bord du lit. Je compris qu'elle désirait qu'on parle de l'avenir et retrouvai mon anxiété. Pour retarder notre conversation, je demandai vivement :

— Qu'as-tu dit aux Chaumard et aux autres ?

— Que tu étais malade, une bonne grippe !

Ne t'inquiète pas, tout va bien de ce côté-là, je sais faire à manger pour ce beau monde...

J'interceptai son regard et nous sûmes l'une et l'autre que le moment était venu d'aborder le redoutable entretien. Berthe se lança :

— Que vas-tu faire d'un tel enfant ?

J'avalai péniblement ma salive avant de répliquer :

— L'élever !

— Ce ne sera pas facile ! Crois-tu qu'il puisse avoir une vie, un avenir ?

— Pourquoi pas ? demandai-je aussitôt.

— Je vois que tu n'as pas pensé à tout, et pour cause ! Je comprends que ton esprit soit embrumé, mais moi j'ai réfléchi, toute la nuit : je vais avoir des mots très durs mais... cet enfant est... Cet enfant est un monstre... et tout semble dire qu'il va vivre. Mais on peut supposer que ses anomalies vont évoluer pendant sa croissance ; il n'aura pas de place dans la société, on le montrera du doigt, on en aura peur, plus tard il ne trouvera aucun travail... sauf peut-être dans les foires, comme les autres monstres humains. C'est ça que tu veux ?

En écoutant ma tante, je réalisai que je

n'avais pas songé à tout cela. Une douleur infinie m'envahissait à chacun de ses mots. En cet instant, j'étais bien incapable de prendre une décision. Tante Berthe poursuivit d'une voix âpre :

— Tu as caché ta grossesse à tout le monde. Tu avais peur des ragots et de la honte d'être tombée enceinte alors que le Joseph était tout juste froid, et maintenant, tu vas leur présenter ce gosse difforme, muet et peut-être sourd ?

L'effet fut plus conséquent que si j'avais reçu un coup de masse. Oui, j'étais complètement abasourdie. Ces mots attisaient ma souffrance et faisaient renaître la honte que j'avais cru enfuie. Je ravalai difficilement mes larmes et ne pus faire disparaître la boule qui obstruait ma gorge. Ma tante ne sembla pourtant pas éprouver la moindre pitié à mon égard car elle reprit :

— Ne te montreront-ils pas du doigt, les gens ? Et lui avec ! Ils diront que c'est là ta punition pour avoir fauté avec ce jeune homme que tu as gardé chez toi pendant presque une année !

Je n'en pouvais plus. Non pas de supporter

ma souffrance et ma honte, mais de cette colère qui me faisait violemment réagir. Je criai alors :

— Tais-toi, Berthe, tu n'as pas le droit de juger ma conduite ! Ce que j'ai fait ne te regarde pas ! Ne me parle plus de ça !

Désapprouvant, elle ouvrit la bouche, mais se ravisa et baissa la tête. À cet instant, j'eus, comme par enchantement, la révélation de tout ce que j'allais entreprendre et décider. Profitant d'un long silence, je tâchai d'ordonner mes pensées, tout en épiant Berthe qui affichait maintenant un air piteux. Ma tante brisa toutefois le silence :

— Il ne pourra pas être heureux !

— Il le sera, répondis-je d'une voix sûre. Parce que je vais lui donner mon amour et l'éducation qu'il devra recevoir, celle qui lui conviendra. Oh non, il n'ira pas dans les foires ! Oh non, on ne se moquera pas de ses difformités ! Parce que personne ne le verra ! Parce que personne ne saura qu'il existe, à part toi et moi, parce que je viens de décider que je le cacherai ici, à l'auberge, pour toujours !

Ma tante avait maintenant l'air complètement ahuri, et elle s'écria :

— Mais tu n'y penses pas ! Ma pauvre nièce, tu as perdu la raison ! Tout cela est impossible !

Je réfléchis rapidement à ce que je venais de déclarer :

— Si, ce sera possible ! Ce le sera si tu m'aides, tante Berthe, au moins dans les débuts. J'entrevois tout, je sens que ce sera possible, ma tante, et Secret vivra... Oui, Secret, tel sera son prénom ! Il sera mon secret, le nôtre, ma tante... Et il aura une vie, celle qui lui conviendra. Non pas celle que tu as évoquée, ce serait être monstrueux ! Dans la vie que j'entrevois déjà, il sera heureux. Quand il sera grand, je lui dirai pourquoi il en est ainsi, je ne lui cacherai pas sa laideur, et je lui apprendrai la méchanceté des hommes...

Je me mis à pleurer. La tension avait été trop forte, et il me semblait que ces instants de grande réalité étaient pleins de folie. Mais je n'apercevais aucune autre solution, sauf celle qu'avait évoquée ma tante : aller jeter mon petit Secret dans les eaux du lac... Or, je voulais qu'il vive, et j'avais la certitude qu'il était venu au monde pour cela ! Je voulais qu'il vive autant que je vivrais encore : dix, vingt, trente, quarante ans peut-être... Entre deux sanglots, je poursuivis :

— Oui, tante Berthe, si on le laissait voir aux autres, ils le montreraient du doigt, oui, ils le fuiraient ou lui feraient du mal ! Il aurait cette existence absurde que tu redoutes ! Celle que je veux pour lui est la seule envisageable, et la seule possible.

Elle me prit alors la main, comme la veille, me regarda comme si j'avais été démente, puis me demanda d'une voix adoucie :

— Et comment feras-tu pour le cacher ici ?

— La maison est grande, et je lui apprendrai à se dissimuler. S'il sait qu'il ne faut pas se montrer, il m'obéira, et personne ne le verra !

— Il n'ira alors jamais dehors, au grand air ?

— Je le sortirai la nuit, le soir... Je trouverai bien une solution !

— Et s'il était malade ? Et... le jour où tu disparaîtras, que deviendra-t-il ?

Les questions de ma tante recommençaient à me faire peur. Je croyais ne pas pouvoir y apporter de réponses, et pourtant j'en trouvais.

— S'il a une grippe, je demanderai des médicaments au médecin en disant qu'ils sont pour moi. Et le jour où je mourrai... il mourra après moi. Je lui dirai ce qu'il faut faire dès qu'il sera en mesure de comprendre. Il mourra parce que, sans moi, il ne pourra plus vivre heureux, et ce serait pareil dans n'importe quelle vie choisie pour lui. Je lui dirai... d'aller dans les eaux du lac, par exemple, là où tu avais choisi de le jeter avant qu'il eût même respiré l'air de nos campagnes.

Tante Berthe baissa la tête. J'imaginais l'avenir, comme par magie. Le silence tomba sur nous durant de longs instants.

— Tu auras beau réfléchir, ma tante, ou penser que j'ai perdu l'esprit, aucune vie ne serait plus heureuse pour lui que celle à laquelle je le destine. Sans cela, je n'ose imaginer son sort quand je ne serai plus de ce monde... Personne ne le soignera s'il tombe malade ! On le laissera mourir de faim ou de soif, on le mettra dans un asile où l'attendra une mort plus cruelle encore ! Non, non ! Ce sera ainsi, tante Berthe !

Elle ne disait mot. Elle m'avait écoutée avec grand intérêt et la stupéfaction que j'avais lue dans ses yeux quelques instants plus tôt avait presque disparu. Elle m'approuvait ! Une larme brillait au coin de son œil. Je lui serrai alors fortement la main, fis glisser ma tête sur ses genoux, et la suppliai :

— Tu es la seule à connaître la vérité. Aide-moi, tante Berthe, reste ici jusqu'à ce que mon petit Secret soit un peu plus grand. Jusqu'à ce qu'il comprenne sa façon de vivre ! Aide-moi !

Nous restâmes longtemps immobiles, nos regards tournés vers l'enfant. Le silence était absolu. J'attendais la réponse de ma tante, sans savoir ce à quoi elle pensait. Les mots durs qu'elle avait prononcés me revenaient en mémoire et je me demandais si ma décision n'émanait pas de la peur d'affronter le regard des autres ou de la honte d'être montrée du doigt. Garder secrète l'existence de l'enfant, n'était-ce pas un moyen de garder clandestines mes amours avec Raoul ? Je refusai pourtant de l'admettre. Non ! En agissant ainsi, je ne pensais pas à moi mais à mon enfant. Je redoutais tant que ma tante refuse ma proposition. Sans son aide, je ne pourrais suivre mes desseins. Je tremblais.

— C'est d'accord, déclara-t-elle finalement. Je vais rester ici avec toi. Tu es ma seule nièce, et je songe aussi à ta pauvre mère qui serait heureuse de savoir que...

Quelque chose dans sa gorge avait entravé sa voix. Je roulai ma tête sur ses genoux, éprouvant pour elle une gratitude infinie.

— Je suis une vieille femme à présent, poursuivit-elle, et je ne peux rester toute seule à Corsou. C'est si sauvage là-haut ! Il faut toutefois que tu saches, ma fille, que tu devras peut-être me supporter plus de quatre ou cinq ans : je ne serai peut-être pas bonne pour l'asile avant dix ans !

— Tu n'iras pas dans un hospice, tante Berthe ! Secret ne le voudra pas ! Car il t'aimera, et toi, tu apprendras à l'aimer !

Elle poussa un long soupir avant de demander, d'un ton plus serein :

— Alors, c'est Secret, son prénom ? Tu es bien sûre ?

Je soulevai la tête et la fixai pour répondre :

— Oui, Secret. Quel autre nom voudrais-tu lui donner, tante Berthe ?

Secret posa délicatement le cahier au sol et laissa choir sa lourde tête sur l'oreiller. Pour un instant seulement – le temps de sécher ses larmes et de reprendre sa respiration. La tension avait été trop forte ; à vivre sa propre naissance, son chagrin avait pris une ampleur que nul être en ce monde n'avait sans doute connue. Secret se contenait pour ne pas laisser jaillir ses plaintes, à cause des deux femmes qui veillaient la morte. Il lui semblait que l'air de l'alcôve s'était raréfié, qu'il était emprisonné dans une sorte de camisole de force. Pour la première fois de sa vie, son réduit devenait une prison d'où il avait hâte de s'échapper pour se faire justice. Mais il fallait encore attendre ! Il ouvrit sa bouche immonde pour happer le froid, comme s'il pouvait remplacer l'air manquant. Comme il le faisait toujours, il saisit la bouteille qu'Amélie avait, la veille, placée sur le chevet. L'eau glacée le ranima un peu. Il s'empara de nouveau du cahier. Pendant de longues minutes, du bout de ses doigts déformés, il caressa les pages avant de déchiffrer la belle écriture de sa mère :

Lorsque j'ai repensé à ces moments, j'ai eu un aperçu des pensées qui avaient dû traverser la tête de ma tante. Elle avait dû croire que j'avais réellement perdu la raison. Mais j'étais si résolue et si sûre de moi que j'avais fini par la convaincre. Plusieurs fois aussi, j'ai réfléchi sur le sursis que j'avais donné à Secret. Combien de temps me restait-il à vivre ? Vingt, trente, quarante années ? Je me crus méprisable. Mais je me consolai par la suite en songeant que nulle mère ne connaît la durée de vie de son enfant – et cela ne l'empêche pas de le mettre au monde ! Je priais Dieu de me faire centenaire, afin que mon petit Secret vécût au moins soixante ans !

Secret leva les yeux du cahier et songea qu'il allait mourir bien plus tôt qu'Amélie l'avait demandé au Seigneur. S'il éprouva du ressentiment envers Dieu pour ne pas avoir exaucé le désir de sa mère, il n'eut aucune peur de cette mort si proche. Il y était si bien préparé ! C'était surtout son attente qui lui faisait peur, à cause du chagrin qu'il avait à endurer. Il était en outre sûr de retrouver Amélie de l'autre côté ; elle lui tendrait les bras, disant : « Je t'attendais, mon petit ! »

Secret se replongea dans ses écrits. Et voici ce qu'il apprit.

8

Amélie se remit de ses couches. Tante Berthe soigna ses plaies avec ses remèdes et un tel soin que toute infection fut évitée. La jeune mère marcha de nouveau, certes lentement dans les premiers temps, mais le soutien de sa tante lui permit de recouvrer son énergie. Huit jours après la naissance, elle put se montrer à la clientèle, qui l'accueillit avec chaleur. Chacun crut que sa pâleur provenait de la grippe sévère qui l'avait alitée. L'aubergiste se remit à son travail pendant que sa tante veillait sur l'enfant. Quand il dormit à poings fermés, Berthe descendit et seconda sa nièce. Le soir, elles établirent un emploi du temps auquel elles se prêteraient toutes deux complaisamment, se partageant à part égale entre Secret et l'auberge. Elles choisirent les tâches qu'elles auraient à accomplir en fonction de leur savoir-faire et de leur âge.

Ainsi, entre les tétées et quelques instants de tendresse, Amélie se rendait au bar, servait ses clients, plutôt rares en cette période de froid, faisait le ménage dans la grande salle et préparait les repas. Chaque jour, à un moment creux, elle lavait les linges du bébé, que Berthe étendait à l'étage et pliait quand ils avaient séché. En fin de matinée, la vieille femme prenait la relève, finissait la cuisson des plats, servait le boire et le manger aux clients, qui, curieusement, demandaient rarement pourquoi Amélie s'était soudain envolée. Quand elle réapparaissait, ils ne se montraient pas davantage indiscrets, jusqu'au jour où ils ne prêtèrent plus attention à ces fréquentes absences. Quand ils repartaient chez eux ou à leur travail, que l'auberge était déserte, les deux parentes se consacraient à l'enfant. Les heures, les jours s'écoulèrent. Cette existence disciplinée suivit son cours sans que personne ne pût soupçonner la présence de Secret sous ce toit. Mais cela durerait-il ?

Au fil du temps, Berthe attira beaucoup de

monde à l'Auberge du lac. Cette femme célibataire, autrefois évadée du couvent, ne s'était point mariée et n'avait point eu d'enfant. Dans l'âge mûr, elle s'était établie à Corsou, où elle avait exercé avec succès ses fonctions d'accoucheuse et de guérisseuse. Tous ceux des campagnes environnantes venaient la voir pour soigner des maux que, parfois, les médecins ne parvenaient pas à soulager. Dans les vingt dernières années, Berthe s'était acquis une telle renommée qu'il n'était pas étrange qu'on vînt désormais à l'auberge pour la consulter. Le profit fut conséquent car les patients ne repartaient pas sans avoir consommé. Néanmoins, dès qu'elle en avait le loisir, Berthe s'attardait auprès de Secret, qu'elle s'était mise à entourer d'amour ainsi que l'avait prévu sa nièce. La guérisseuse ne sembla plus attacher d'importance à ses difformités et fut ravie le jour où elle comprit qu'il n'était point sourd : après un grand fracas, produit par la chute d'un objet, le petit avait sursauté. De jour en jour, les deux femmes eurent la preuve de sa bonne oreille : il montrait en effet de l'attention aux bruits et à leurs voix. La sienne, elle, se manifesta bientôt par de petits grognements à peine perceptibles qui attendrissaient autant sa tante que sa mère.

Cette vie bien réglée dura, tout comme l'entente entre les deux parentes. Tout se déroulait comme Amélie l'avait envisagé. Mais l'enfant grandissait et de nouvelles perspectives se présentèrent. Il fallait songer à son éducation. Pour une fois, les deux femmes se chamaillèrent, l'une affirmant qu'il ne servait à rien de lui apprendre à lire et à écrire, l'autre objectant que le savoir lui donnerait le goût de l'évasion. Amélie clamait qu'elle choisirait des lectures appropriées à sa condition. Berthe finit par approuver, citant des auteurs dont les livres seraient de bons professeurs. La tante se faisait fort d'étonner sa nièce par ses connaissances en littérature. Elle avait fait des études avant d'entrer au couvent ! Elle s'écria que le garçonnet se laisserait lui aussi émerveiller par Alphonse Daudet, Eugène Sue, Paul Verlaine, Jules Renard, Victor Hugo, George Sand, Honoré de Balzac, et par tant d'autres écrivains et poètes du XIXe siècle ! Au grand plaisir de l'érudite, Secret ne tarda pas à dévoiler une intelligence remarquable. Il n'était pas nécessaire de lui montrer les choses deux fois pour qu'il les refît aussitôt ! Il prenait même parfois des initiatives dans des domaines que sa mère ou sa tante ne lui avaient pas fait encore découvrir, comme arroser les fleurs qu'Amélie avait placées dans sa chambre. C'était à croire que son énorme tête renfermait un cerveau fortement développé.

Si ses capacités intellectuelles ravissaient les deux femmes, il n'en allait pas de même pour ce qui était de ses malformations physiques, qui évoluaient malheureusement comme Berthe l'avait prévu. Lorsqu'à quinze mois, Secret se mit à marcher, sa mère et sa tante ne purent retenir leurs larmes. Il fallait le voir déambuler sur ses pieds inégaux, déséquilibré surtout par les lipomes importants dont étaient affublés la jambe gauche et le bras droit ! Il ne lui fallut toutefois que peu de temps pour s'adapter et apprendre à se mouvoir avec une rapidité époustouflante. Il ne paraissait guère souffrir de ses handicaps, mais d'autres anomalies empirèrent : ses verrues sur l'abdomen prirent l'aspect de fibromes de la taille de noisettes, la tache café au lait s'étendit jusqu'aux reins, sa main gauche s'allongea plus rapidement que la normale et ses doigts commencèrent à se tordre. Sa verge était minuscule et le scrotum manquait ; Berthe en déduisit qu'il n'aurait peut-être jamais de pulsion sexuelle. La chose ne devant se révéler qu'à l'adolescence, cette anomalie ne fut toutefois pas la plus préoccupante dans l'immédiat. Mais que dire de son visage ? Au niveau de la bouche en particulier, une malformation semblable à un bec de lièvre fit son apparition avant qu'il ait atteint quatre ans. Cela le faisait baver abondamment. Le bleu de ses yeux, sa seule beauté, irradiait dans l'œil exorbité, mais perdait son éclat à cause de l'enfoncement de l'autre. Si Secret était tourné de trois quarts, on croyait voir le Cyclope. Il plut également au Diable d'accentuer la protubérance de son visage, là où battait la petite veine qu'Amélie avait contemplée au premier jour de sa vie. Les cheveux de l'enfant, noirs et ondulés comme ceux de Raoul, avaient une implantation étrange sur la partie haute du crâne. Amélie ne décelait chez son fils aucune similitude avec elle, mais Berthe affirmait qu'ils devaient se ressembler intérieurement.

Bref, avec cette apparence, Secret était de ces monstres voués à l'exclusion. Sa mère se félicita d'avoir gardé son existence secrète. Pourtant, combien de fois elle avait eu envie de le présenter aux gens d'ici, disant alors : « C'est mon petit ! » Mais aussitôt, elle imaginait les regards, les uns pleins de terreur, les autres de fascination, d'autres encore emplis d'une peur mêlée de dégoût. La veuve savait qu'on prendrait la laideur de son fils pour l'incarnation du Mal, de tels vices ne pouvant manifester que la noirceur de l'âme. Quelques esprits, eux-mêmes habités par le Mal, pousseraient avec une joie certaine son fils vers la mort, comme au temps de l'Inquisition. On le lui enlèverait, soit pour le tuer, soit pour étudier l'origine de ses tares. Des scientifiques voudraient peut-être savoir pour quelle raison la nature n'avait pas obéi à ses lois habituelles. Pourquoi cette anormalité ? Pourquoi cette monstruosité ? Ils finiraient par conclure qu'elle ne pouvait avoir qu'une origine diabolique : seule manière d'expliquer l'inconcevable, comme l'avaient autrefois affirmé tant de savants et de théologiens !

Non, mille fois non : tout ce qu'elle supposait, tout ce qu'elle avait, depuis la naissance de son fils, lu dans les livres sur ces êtres contrefaits, confortait Amélie dans sa décision initiale ! Jamais elle ne mettrait Secret en spectacle ou en danger ! Jamais sa laideur n'assouvirait les désirs bestiaux de la nature humaine ! Elle décida aussi de lui choisir pour lectures des histoires de monstres, afin qu'il sût bien à quoi tenait sa captivité et qu'il comprît qu'elle valait mieux pour lui que la liberté. Et ce, même si certains auteurs faisaient naître des monstres – la peur ainsi suscitée étant l'une des émotions essentielles et indispensables chez l'homme. À certains moments, la mère de Secret se ravisait, croyant que la révélation de sa monstruosité provoquerait chez lui des réactions auxquelles elle n'avait pas songé, si graves qu'il aurait des états d'âme le poussant peut-être au suicide. Mais après de longues réflexions et des discussions avec Berthe, Amélie revenait à sa position d'origine. « Il n'y a pas de meilleur moyen que de guérir le mal par le mal », avait annoncé la tante. « Même un mal moral ? » demanda Amélie, de nouveau hésitante. Mais comment pourrait-elle cacher sa laideur à Secret ? Elle était visible sur tout son corps, et même dans ses mouvements et ses gestes ! Même si elle évitait à son fils d'apercevoir son visage dans une glace, elle ne pourrait l'empêcher de poser les yeux sur ses membres ! Ah ! Il faudrait agir habilement pour qu'il acceptât sa laideur. Ce ne serait possible qu'en vivant dans son monde, avec elle et tante Berthe. Tout ce que la pauvre Amélie redoutait désormais fut qu'il souffrît un jour de grave maladie et que ses handicaps le condamnassent à un engourdissement total. Mais elle reprenait confiance en le voyant si bien se débrouiller. Ce fils était un véritable mystère de la nature !

Il vécut jusqu'à l'âge de sept ans cloîtré dans sa chambre aux volets clos, sans manifester de curiosité pour le monde extérieur. La mère et la tante limitaient ses connaissances à l'intérieur de l'auberge, et à l'étage seulement ! Elles commencèrent à lui inculquer les rudiments de l'écriture et de la lecture, selon une méthode en laquelle la plus âgée avait foi. Ce fut d'ailleurs elle qui, un beau matin, partit à la ville acheter les premiers livres de lecture et les manuels pratiques. À son tour, Amélie se mêla des achats, auxquels elle ajouta quelques jouets nécessaires à l'éveil du garçon et à son divertissement, et qui devaient aussi éveiller sa curiosité à l'égard du monde extérieur. Secret jeta son dévolu sur deux d'entre eux qui ne correspondaient pas vraiment à l'usage souhaité : une boîte à musique et deux bœufs en bois attelés à une charrette. Le garçonnet semblait complètement émerveillé par le mauvais crincrin de la première et le mouvement des roues du second. Les leçons aboutirent vite à de bons résultats car l'enfant avait l'esprit vif et une mémoire extraordinaire. Sans doute, s'il avait pu parler, aurait-il assailli sa mère et Berthe de questions ! Elles s'attendaient toutefois à subir très vite des interrogatoires écrits, car il fallait voir comme il tenait la plume entre ses doigts gourds ! Sitôt entendue, il transcrivait chaque lettre apprise. Dès la première explication, il comprit que le O suivi du U faisait OU, le I suivi du N faisait IN et ainsi de suite… On lui faisait voir sur les livres, ou par un simple dessin, ce que représentait telle chose. Au fil des jours, des pages se remplirent. Il les amoncelait sur le sol et les contemplait des heures durant, quand les deux femmes étaient retenues par leur travail à l'auberge. Il se lançait dans des gribouillages qui reflétaient sa condition. Il savait déjà qu'il était condamné à se cacher pour toujours dans la chambre à cause de sa laideur, et se pliait à cette claustration sans se plaindre de son triste sort.

Entre les deux femmes, Secret paraissait heureux. Ce bonheur à trois dura jusqu'au jour où tante Berthe, alors âgée de soixante-dix-neuf ans, ne se réveilla pas. Son cœur cessa de battre, sans aucun signe avant-coureur d'un quelconque mal. Ne la voyant pas apparaître au matin, Amélie se rendit dans sa chambre et la découvrit sur son lit, le visage aussi serein que si elle faisait un beau rêve. Sa nièce comprit aussitôt que la mort la lui avait arrachée pendant la nuit. Elle cria son chagrin et la peur du vide que cette mort mettait dans sa vie. Alerté par les plaintes, Secret fit irruption dans la chambre. Sa mère le saisit dans ses bras avant qu'il eût le temps de voir la vieille femme. Elle l'emporta dans sa propre chambre en lui disant : « Tu vas rester seul ici, tu ne bougeras pas et tu ne feras aucun bruit de la journée. » Elle lui faisait entièrement confiance, l'obéissance était une règle qui faisait partie intégrante de son éducation.

117

Durant cette dure journée, l'aubergiste n'eut guère de temps à consacrer à son fils, sauf pour lui apporter de quoi boire et manger. Elle se voua aux préparatifs des obsèques, accablée de douleur mais heureusement secourue par certains habitués de l'auberge, qui allèrent voir les personnes de circonstance. Amélie ne retrouva un peu de soulagement que deux jours plus tard, quand Berthe fut dans la tombe. La jeune mère n'oubliait toutefois pas sa douleur et les soucis des lendemains. Il fallut par ailleurs longuement expliquer à l'enfant pourquoi jamais plus il ne verrait ni n'entendrait tante Berthe, pourquoi elle ne ferait plus jamais de grimaces pour le faire rire. Comme sa mère, il ressentit un chagrin immense, et, comme elle, il se sentit abandonné. Mais Amélie remédia à ce choc en consacrant une grande part de leur temps aux études. Il ne fallait pas que, là-haut, Berthe constatât du relâchement !

Les cours reprirent donc, et peu à peu leur peine à tous les deux s'atténua, bien que tante Berthe demeurât dans leur mémoire et leur cœur. Secret reporta le double de son amour sur sa mère. Son affection devint aussi grande, aussi incroyable que sa monstruosité. Quant à son apprentissage, il aboutit à des résultats que tante Berthe aurait été heureuse d'observer ! Mais des imprévus auxquels Amélie n'avait pas pensé se présentèrent. Plus Secret absorbait de connaissances, plus ses désirs grandissaient. Il exprima notamment celui de voir le monde extérieur. Sa mère savait bien qu'il regardait par les fentes des persiennes. « Bientôt, je te conduirai dehors », lui promitelle donc. En attendant ce grand moment, le garçonnet voulut un chat ; Amélie s'arrangea pour en récupérer un chez son voisin. Il demanda un oiseau et elle captura un chardonneret qu'elle mit en cage dans sa chambre. Ils baptisèrent les deux bêtes Griset et Rouget. Amélie apporta dans sa chambre tout ce qui était possible. Durant cette période de grand éveil, Secret désira aussi en savoir plus sur sa condition physique. Ayant découvert la beauté dans les images, et la comparant avec ses difformités, il éprouvait des difficultés à comprendre pourquoi le contraste était si grand entre lui et les autres. Amélie lui parla des arcanes de la nature auxquels l'être humain doit se plier : « Certains naissent beaux, d'autres hideux, intelligents ou idiots, c'est ainsi ! » Elle lui expliqua longuement que sa captivité ne relevait pas seulement de sa laideur mais des mentalités humaines, qu'on ne pouvait changer. L'enfant accepta ces justifications et ne demanda plus à sa mère le miroir qu'elle lui avait tant de fois refusé, décrétant que cela ne lui servirait à rien de voir son visage. Mais la curiosité de Secret était devenue si forte qu'il trouva le moyen de se contempler dans le carreau de la fenêtre, en dirigeant sur lui le faisceau de la lampe. Le reflet était flou, certes, mais il lui permit de se faire une idée de son incroyable disgrâce.

À cette époque, Amélie prit deux autres décisions importantes : fermer l'auberge le lundi et aménager un réduit entre sa chambre et celle de Secret. Le fait de ne pas travailler le lundi permettrait à l'aubergiste de conduire son fils dehors au moins un jour par semaine. Quant au réduit, il garantirait la sécurité du petit garçon au cas où quelqu'un viendrait à s'introduire à l'étage pendant l'absence de sa mère, comme cela avait failli se produire quelques jours plus tôt. La veuve avait intercepté Magalie Chapetal, de Lieudieu, devant la porte de la chambre de l'enfant. De la cave où elle s'approvisionnait en pommes de terre, elle n'avait pas entendu l'appel de la voisine, qui n'avait pas hésité à monter à l'étage. Voilà pourquoi, un soir, quand l'auberge fut déserte, elle envisagea d'entamer les travaux, heureuse du savoir que Joseph lui avait légué lors des réparations de la vieille bâtisse.

Amélie se rendit donc dans l'annexe, où restaient des lots de planches ayant servi à fabriquer des cloisons. Elle choisit les plus fines et les plus régulières, ainsi que quelques tasseaux, et prépara tous les outils et accessoires nécessaires : rabot, marteau, scie, clous et pointes variées que Joseph avait emmagasinés sur des étagères. Le labeur ne serait toutefois pas de tout repos, ni aussi facile qu'elle l'avait espéré ! Il s'agissait de dresser des cloisons dans chaque chambre, à égale distance du mur de séparation, et de faire ensuite tomber ce dernier, de manière à aménager un espace suffisamment vaste entre les deux cloisons. Ces dernières devaient par ailleurs être munies de portes, de sorte qu'on pût entrer dans le réduit par les deux chambres. Amélie scia donc les planches à la bonne hauteur et les monta les unes après les autres à l'étage. Armée de ses outils, elle les fixa aux poutres. Transpirant, clouant, sciant, étudiant toutes les possibilités, elle parvint au bout de son entreprise sous les yeux de Secret.

Après huit jours de travail, les cloisons étaient créées, toutes deux munies de leur porte. Il restait donc à démolir le mur de séparation, et Amélie s'y employa à grands coups de masse (il avait été construit en briques), la nuit venue, quand ses clients avaient quitté l'auberge. Fière du résultat, la veuve installa une penderie derrière la porte de sa cloison et lui fabriqua un fond en lattes légères dans lequel elle ménagea une étroite issue, au cas où Secret aurait à sortir par sa chambre. Ainsi, quiconque ouvrirait la penderie ne pourrait soupçonner l'existence de cette alcôve habilement dissimulée. Sur l'autre cloison, celle de la chambre de Secret, par laquelle il entrerait habituellement, elle fixa une minuscule targette facile à camoufler par des foulards et des écharpes suspendus ; elle en vissa une autre à l'intérieur pour qu'il pût s'enfermer. Tout était si bien calculé qu'on ne pouvait deviner l'antre. La touche finale résidait dans un vernis teinté, qu'elle appliqua sur les cloisons. L'aubergiste put enfin présenter son réduit. « Il » le connaissait fort bien, pour avoir assisté à sa construction et parce qu'elle lui avait toujours dit pendant l'effort : « Tu seras bien ici, mon petit. » Le garçon était heureux de posséder cet endroit, pareil à une cabane de Robinson, même si elle était à l'intérieur d'une maison ! Amélie l'équipa d'une couche moelleuse et d'une table de nuit.

C'est là que Secret allait désormais passer le plus clair de son temps. N'importe qui pouvait en effet venir à l'improviste, tandis que sa mère était à la ville ou assistait à certaines grandes célébrations religieuses. L'unique désir de l'enfant fut d'avoir la possibilité de voir le rez-de-chaussée. Amélie exauça son souhait en forant un trou entre deux lattes du plancher, comme la tante l'avait fait quelques mois plus tôt dans la chambre. Le petit pourrait à sa guise observer chaque scène, entendre toutes les conversations, et ce, depuis sa couchette ! Secret était heureux et il le prouva le soir même en écrivant sur une feuille : « Merci maman que j'aime. »

Amélie, quant à elle, écrivit dans son journal :

Ma seconde décision, celle de l'emmener au dehors, devait procurer à Secret un bonheur plus grand encore ! Si j'avais pris cette résolution, c'est parce que j'avais décelé chez lui un amour inconsidéré pour la nature. Il demeurait des heures entières à fixer les tableaux que j'avais accrochés à la fausse cloison. Il était si profondément absorbé dans sa contemplation qu'on aurait pu penser qu'il s'évadait dans les paysages représentés. Parfois, il se tenait devant la fenêtre, regardant par les fentes des volets les arbres, le ciel, les astres, le soleil, les fleurs, et tout ce qui lui était possible d'observer de cet univers interdit. Moi, je m'entêtais à ne jamais rouvrir cette fenêtre, pas même la nuit, de peur qu'un passant surprît cet être venu du fond des âges ou des ténèbres de l'histoire.

De mes promenades, je rapportais à Secret des bouquets de fleurs et de graminées, des branches en bourgeons ou toutes feuilles écloses, de la terre même, des pommes de pin... Mes promenades ! Je trouvais le temps d'en faire durant les jours les plus creux. J'en avais besoin pour me défaire des angoisses qui m'assiégeaient sans relâche, et récupérer mes espoirs perdus. Combien de fois j'ai marché dans le vallon, portant ma responsabilité comme un fardeau ! Combien de pas j'ai faits le long de la Donge, le cœur chagrin ! Combien de fois j'ai respiré de grands bols d'air vif pour chasser mes pensées désordonnées et me ressouvenir que la physionomie de mon enfant était l'œuvre de la seule fatalité !

De mes errances solitaires, je rapportais toutes les efflorescences que la nature pouvait donner, mais Secret désirait aller dehors, je le sentais ! Et je devinais sa tristesse à certaines expressions de son visage que j'avais appris à connaître. Nous nous étions fréquemment trompées, tante Berthe et moi ! Car ces hideuses malformations avaient le pouvoir de convertir une grimace en sourire, de traduire un chagrin par de la joie. Je savais désormais déceler les véritables sentiments de Secret, et notre communication ne connaissait pas de malentendu. Au-delà du silence qui planait toujours entre nous, nous nous parlions, avec *des regards, des gestes connus seulement de nous. Il me donnait de belles leçons de patience. Son désir devint le mien. Que le soleil le chauffe, que l'air le caresse, que la pluie le baigne enfin ! Qu'il puisse enfin s'évader dans le décor qu'il a tant contemplé depuis les persiennes...*

9

Un beau lundi de printemps, en 1932, au crépuscule, Amélie emmena Secret dans le clos de l'auberge. Bien enveloppé dans les vêtements confectionnés spécialement pour lui, il descendit pour la première fois l'escalier. La chose exigea hélas beaucoup plus de temps que prévu, car les jambes du garçonnet n'étaient pas entraînées à une telle gymnastique, malgré les exercices physiques quotidiens qu'Amélie lui imposait. C'était d'autre part la première fois que Secret portait des chaussures, l'une de taille 36 et l'autre de pointure 42.

Comme l'enfant désirait voir tout le rez-de-chaussée, ils sortirent à l'heure où le soleil allait se coucher. Avant de disparaître derrière la muraille, les rayons tièdes caressèrent le visage de Secret, qui reçut le premier flot d'un bonheur longtemps rêvé. Tandis qu'Amélie le soutenait tout en surveillant les alentours, son fils promenait les yeux sur l'espace qu'il connaissait (ils étaient sortis par la porte de la cuisine, placée juste sous sa chambre). On aurait cru que sa prunelle exorbitée survolait les choses et que l'autre les pénétrait dans leurs plus sombres profondeurs. Il humait l'air de sa narine relevée, l'emmagasinait dans cette grosse trompe que la nature lui avait octroyée, afin de s'en repaître longtemps après son retour dans le réduit. Consciente de sa félicité, Amélie ressentait une joie tout aussi grande. Elle entraîna son fils sous les grands platanes. Elle arracha des feuilles à leurs branches et les lui donna, de l'herbe à la terre et la lui donna, une fleur à l'herbe et la lui donna. Il les prit avec délicatesse, les caressa et les porta à son nez en poussant des grognements de bonheur. Il plongea les mains dans les bas feuillages, dans la terre, dans l'herbe et les fleurs. Sa mère l'entraîna vers l'arrière du clos, à l'endroit le plus sauvage, là où les acacias, les sureaux et les roses fleurissaient et embaumaient le passage. Toutes ces senteurs augmentaient l'ivresse de Secret, qui montra un signe de défaillance. Amélie le fit asseoir dans le gazon qu'elle n'avait pas encore tondu ; il y demeura un instant plié en deux, comme apeuré par cette verdure qui ondulait sous le souffle léger du vent. Mais, finalement, rassuré, il s'y coucha et fit là tant de pantomimes qu'Amélie éclata de rire. « Que tu es sot », dit-elle en courbant sur lui de hautes graminées duveteuses avec lesquelles il joua longtemps.

Quand il eut bien profité de l'herbe et de la terre qu'il fourrageait avec le nez comme un sanglier, elle le poussa vers la muraille. « Là derrière, il y a le lac, je t'y emmènerai une autre fois. » Et tandis qu'elle ajoutait « bientôt ! », sa pensée fit un bond en arrière et elle revit tante Berthe qui lui demandait : « Et si tu mourais ? », et elle de répondre : « Dès qu'il sera en âge de comprendre, je le préviendrai de ma mort probable, et parce qu'il ne pourra pas vivre heureux sans moi, je lui dirai par exemple d'aller dans les eaux du lac, là où tu avais choisi de le plonger avant même qu'il eût respiré l'air de nos campagnes. »

Depuis quelque temps déjà, Amélie songeait à cette éventualité, même si, à quarante-sept ans, elle n'était pas en âge de mourir. Mais un accident est si vite arrivé, ou une maladie ! Que deviendrait-il ? Pourrait-il vivre sans elle ? Elle avait beau imaginer une continuité, celle-ci lui paraissait toujours impossible. Après sa mort, Secret ne pourrait se cacher éternellement à l'auberge, qui tomberait dans la tirelire de l'État puisque la veuve n'avait point d'héritier connu. Le petit s'échapperait peut-être dans les bois… Mais comment, avec ses handicaps et sa méconnaissance de la nature, pourrait-il survivre dans la jungle ? Non, non ! On le trouverait là, à l'auberge, et on l'exhiberait dans les foires comme les monstres d'autrefois, ou bien on l'enfermerait dans un asile où il vivrait à l'état de bête ! Qui pourrait déceler les beautés cachées de cette horrible créature ? Plus Amélie cherchait de possibilités, moins elle en entrevoyait, et elle revenait toujours à sa sentence initiale, pensant avec une satisfaction douloureuse : « Si sa vie doit être courte, au moins il aura été heureux ! » Mais à cet instant précis, là, devant la muraille, une voix intérieure lui disait qu'elle n'avait pas le droit de choisir à sa place. Mon Dieu ! Pourrait-elle dire à cet enfant de se donner la mort quand celle-ci l'aurait emportée ?

Elle était plongée dans ses réflexions, proche du malaise, lorsqu'il la tira par la manche. Sans le regarder et refoulant à grand-peine ses pensées, elle le conduisit à l'orée de la sente qui menait à la ferme des Laurent, presque invisible sous les branches croulantes. Seul un étroit couloir dans les herbes rabattues trahissait le passage de Robert, le fils. Elle dit : « Tu connais Robert, ce n'est pas un bon garçon comme toi ; il faudra faire attention quand tu seras dehors, parce qu'il vient souvent par là. » Secret hochait la tête en contemplant la lune, toute ronde, dans un ciel parme. La nuit tombait déjà. Soudain, il fit de grands gestes dans l'air et elle comprit qu'il mimait la fontaine, manifestant son désir de la voir avant que l'obscurité ne fût trop profonde. Il paraissait avoir hâte de constater si le dessin qu'elle lui en avait fait était conforme à la réalité. Elle remisa alors ses pensées dans un coin de son esprit et conduisit son fils sous les platanes, en direction de la fontaine. Il leva les yeux sur les frondaisons et contempla sa fenêtre toujours close. Puis il vit devant lui la fontaine telle que sa mère la lui avait représentée, avec son bac en pierre, son mascaron et son robinet. Il fut stupéfait par la grandeur de la vasque, dont il n'avait pu se faire une idée sur le croquis, et par la couleur de l'eau, qui, à cette heure, reflétait les noirceurs du ciel. Il recula et Amélie comprit d'où venait son effroi. Elle dit :

— En plein jour, l'eau est presque du même bleu que sur le dessin, et à travers elle, on voit le fond en pierres roses. Quand elle sera chaude, en été, tu t'y plongeras et je te laverai.

La veuve saisit la main de l'enfant et l'enfonça dans l'eau. Il ne bougea pas, goûtant sa fraîcheur et sa fluidité plus intensément que quiconque.

— Tu verras le bien que ça fait au corps ! ajouta Amélie. Tu trouveras ça sensationnel !

Secret poussa un grognement de joie qu'elle fit taire par un long « chuuuuut » prononcé à mi-voix, et avec un sourire, elle ajouta :

— Rentrons maintenant, on reviendra lundi prochain, plus longtemps.

132

Il ne montra aucun signe de désapprobation et se laissa entraîner vers la porte d'entrée. Il était comme ivre. L'aubergiste était sûre que sa promesse lui mettait autant de baume au cœur que tout ce qu'il avait vu, entendu, et qui allait combler ses songes. Elle était sûre que, ce soir, sa vie avait pris un autre sens, un chemin nouveau parcouru de millions d'étoiles filantes.

10

Secret reposa le cahier à l'envers sur le plancher et retint sa tête dans sa chute vers l'oreiller. Il s'allongea sans bruit et laissa se dissiper l'engourdissement de sa main droite en écoutant le silence de la nuit, à peine troublé par le ronflement d'une des deux femmes dans la pièce de gauche. Il les imagina assoupies sur leurs chaises, aux côtés de sa mère allongée sur le lit dans sa belle robe noire. Secret aurait pu essuyer les larmes sur son visage, mais à quoi bon ? Elles ne cessaient de couler ! Les souvenirs qu'avaient éveillés ces écrits, heureux ou malheureux, lui perçaient le cœur. La mort de tante Berthe... Elle avait semé en lui une angoisse que sa mère n'avait pas décelée et dont il ne lui avait pas fait part, la voyant suffisamment accablée elle-même. Mais il avait souvent eu envie de la questionner sur cette mort injuste qui le séparait de sa tante et revenait l'effrayer la nuit. Où la faucheuse l'avait-elle emmenée ? Était-ce si loin qu'il ne pourrait plus jamais la revoir ? Longtemps, il était demeuré dans cette anxiété ; ses angoisses n'avaient disparu que le jour où sa mère avait dit tout haut : « Nous la rejoindrons lorsque nous mourrons. » Secret en avait déduit que si cette mort les réunissait, elle ne devait pas être si terrible ! Il l'avait oubliée, cette mort, mais retrouvée beaucoup plus tard, en lisant un livre dans lequel le héros déclarait ne pas croire à ces balivernes et affirmait qu'il n'y avait aucune vie après la mort. Le fils d'Amélie en avait tremblé. Et si c'était vrai ? Il ne retrouverait ni tante Berthe ni sa mère ? De fil en aiguille, il avait songé au sentiment d'abandon qu'il avait ressenti quand tante Berthe était partie. Et ensuite, à celui qui l'accablerait quand sa mère disparaîtrait à son tour. Il avait éprouvé une sorte de transe terrible, et, subitement, il avait inscrit ces mots sur une feuille de papier : « Si tu mourais, que deviendrais-je ? » avant de la présenter à sa mère. Ils avaient alors eu une longue conversation, dans laquelle il avait saisi toute la conviction de sa mère. Ah ! Que se serait-il passé s'il ne lui avait pas posé la question ? Aurait-elle fait toutes ces allusions au lac ? Aurait-il su trouver seul le moyen de mettre bientôt fin à ses souffrances ?

Il poussa un soupir, laissa échapper son souvenir, pressentant qu'il allait découvrir dans les pages suivantes ce douloureux épisode de leur existence. L'image de tante Berthe repassa devant ses yeux et il la revit, telle qu'en ces années lointaines lorsqu'elle l'instruisait, lui apprenait les jeux de l'oie et des petits chevaux, quand elle lui apportait ces merveilleux desserts préparés avec sa mère, en particulier ces savoureux beignets d'acacia qui fondaient au fond de sa gorge. Au fil des ans, manger était devenu l'un de ses plus grands plaisirs. Il aimait tout, de la salade aux clafoutis de cerises. C'était la raison pour laquelle sa mère tenait aussi aux exercices physiques, car il aurait pris plus de poids que de raison ! Il y avait aussi cette vue quotidienne sur la grande salle qui lui permettait d'entrer dans l'univers des autres êtres humains. Combien avait-il entendu d'épopées de pêche ou de chasse, de voyages ou d'aventures amoureuses, qui, même relatées à voix basse, parvenaient à son oreille fine, combien de rigolades et de chamailleries ! Et les banquets des jours de fêtes et de grandes foires ! Secret se laissait bercer par l'accordéon et soûler par le tournoiement de la valse. Il délaissait alors ses lectures, mais les reprenait le soir car elles représentaient elles aussi l'un de ses plaisirs fondamentaux. Sans elles et sans le trou dans le plancher de son réduit, il ne serait pas devenu ce qu'il est ! Ainsi sa mère lui avait-elle permis une vie presque normale ! Que Dieu lui rendît grâce ! Et qu'Il la lui rendît, là-bas, dans le monde inconnu où il la retrouverait bientôt !

Secret ravala sa salive et sa mémoire s'ouvrit au soir où Amélie l'avait emmené pour la première fois dans le clos. Elle était soudainement devenue rêveuse, le regard perdu au-dessus de la muraille... Il avait alors vu la brèche et s'était doucement avancé. Il avait posé son œil sur la pierre encore chaude et, par la brèche, avait aperçu au loin la cavalcade des monts que le soleil surfilait d'une belle couleur orangée. Cela n'avait duré qu'un instant, car l'astre se couchait. Mais ce paysage grandiose avait époustouflé Secret, lui avait offert la vision du monde qu'il découvrirait bientôt et dont il n'avait pu se faire une idée à travers les livres d'images. Le garçonnet s'était dit qu'il n'y retournerait pas d'ici leur randonnée au lac ; ainsi, la surprise serait plus grande ! Il se promit aussi de ne plus chercher à voir son visage, comme ce jour où, pendant que sa mère servait la clientèle, il s'était glissé dans sa chambre pour se voir dans son miroir. Ce serait dans le miroir du ciel qu'il regarderait désormais, et dans celui de la terre où montait la sève de la vie éternelle, celle de la nature sublime. Plus jamais il ne verrait dans la glace ses yeux effarés par ce qu'elle leur renvoyait !

Il se souvint que ce jour-là, dans le clos, il avait levé le regard sur sa fenêtre verrouillée et avait songé qu'il remplirait son antre du rêve merveilleux qu'il était en train de vivre. Car oui, c'était un rêve, une évasion sublime durant laquelle il s'était oublié. Même son ombre sous la lune, presque aussi haute que celle de sa mère, ne l'avait pas ramené à la réalité, parce qu'elle ne révélait pas ses infirmités. Il faut dire qu'elles étaient cachées sous la cape… Puis Secret avait vu la fontaine, dont la taille l'avait surpris, et sa vasque noire l'avait effrayé. Mais quand Amélie y avait plongé sa main, il avait éprouvé l'inverse de la peur… Quelque chose d'agréable et d'irrésistible avait refait surface, avec un bonheur supplémentaire quand elle l'y avait baigné tout entier. Ah ! Combien il avait, par la suite, savouré le plaisir de l'eau ! Chaque lundi, il avait l'autorisation de se rendre seul dans le clos. Le portail était fermé à clé et la fontaine chantonnait dans son écrin de fleurs et de feuillages. Personne ne pouvant surprendre ses ablutions, il barbotait à sa guise. Un jour, en s'approchant de la margelle, il avait aperçu une vipère. Sans éprouver de peur, il l'avait touchée du bout des doigts ; elle n'avait pas manifesté d'hostilité, mais s'était enfuie en glissant mollement sous les herbes. À croire que cette bête du diable avait éprouvé quelque honte à s'en prendre à une créature plus effrayante qu'elle !

Le lendemain de sa première sortie dans le clos, Secret avait subitement eu envie d'ouvrir la cage de Rouget. Contrairement à lui, le pauvre volatile n'avait pas de raison d'être emprisonné. La nature l'avait doté d'ailes : qu'il prenne donc son envol ! « Il doit connaître le plaisir de la liberté », avait écrit Secret à sa mère. Elle avait acquiescé et l'oiseau s'était échappé par la fenêtre, sous les yeux gourmands du chat Griset, qui s'était habitué à passer la journée auprès de Secret et à chasser à la belle étoile. La même année, le petit garçon avait pris des bains de soleil et de pluie, il s'était couché dans la neige et le givre.

Le fils d'Amélie reprit le cahier, soulevant un peu la tête pour l'avoir bien en face des yeux. S'allongeant complètement, il devait davantage soulever son bras droit mais la tumeur de son membre était si lourde qu'il ne pouvait tenir longtemps dans cette position. Il se remit à lire.

Je choisis un lundi entre la fermeture de la pêche et l'ouverture de la chasse pour emmener Secret au lac. Nous sortîmes de l'auberge avant même que le soleil fût levé, mais ses rayons montaient derrière l'horizon et commençaient à éclairer l'azur. L'air était encore frais, saturé de cette rosée qui blanchissait le gazon d'une multitude de perles d'eau. Pendant que j'allais inspecter les environs, Secret attendit derrière une pile du porche, le corps enveloppé d'une grande cape noire et la tête d'un capuchon que je l'avais obligé à prendre au cas où quelqu'un nous surprendrait. Je m'inquiétais de son bien-être, car, pour la première fois, j'avais bandé ses tumeurs afin qu'elles ne ballottent pas pendant ses mouvements ; je craignais que les bandes fussent trop serrées et qu'il ressentît des douleurs. Quand je revins et l'interrogeai, il me rassura, me faisant comprendre qu'il se sentait plus à l'aise ainsi. Lorsque nous eûmes franchi le portail, je l'entraînai vers la petite sente qui s'amorce à quelques pas seulement sur la droite. Quand nous y fûmes suffisamment engagés, il releva la tête et put enfin se gorger du paysage. Nous dûmes attendre quelques minutes que son émotion se fût apaisée. Je perçus cependant son émoi tout le long du chemin, car il ne grognait plus ni ne faisait de gestes. Il marchait à son rythme, captivé par ce qu'il voyait. Je devinai que son émoi grandissait lorsque nous atteignîmes l'orée du lac, situé à un bon kilomètre de l'auberge. Pour sûr, Secret était émerveillé ! Je n'avais moi-même jamais autant admiré le site que ce jour-là. Était-ce l'émotion de Secret qui s'ajoutait à la mienne ?... J'étais aussi transportée que lui, qui le découvrait. Je ne songeais plus du tout à surveiller les environs dans l'éventualité d'un importun.

Nous arrivâmes au bord du lac. Comme Secret, je contemplai la surface de l'eau, qui reflétait l'écrin de verdure des berges, le ciel rosissant au centre. Ce mélange des tons, rompus çà et là par la silhouette inclinée d'un roseau et des éclaboussures bleues qu'on ne voyait venir de nulle part, avait quelque chose de surnaturel. Quel spectacle encore quand un héron surgit et s'abattit, bec en flèche, pour sortir du lac un poisson presque aussi gros que lui ! Le silence était profond, bien que truffé de mille voix, de mille sons, de mille chants. Les eaux elles-mêmes soufflaient à nos oreilles une musique qui s'alliait au pano-rama pour nous captiver entièrement l'un et l'autre. Nous nous assîmes à même les herbes némorales. Durant un long moment, nous nous *tînmes inertes, retenant nos émotions, mais tous nos sens étaient en activité. Nous regardions, écoutions, et humions des parfums subtils mêlés aux relents des plantes humides ou déjà pourrissantes en cette fin d'été.*

Nous demeurâmes longtemps ainsi. Je finis par émerger de ma contemplation et considérai Secret. Son œil fixait un point entre les eaux et le ciel, vers lequel je dirigeai mon regard. Sur l'écran sombre des arbres, je ne vis rien – mais j'étais sûre, connaissant le sixième sens de mon fils, qu'il percevait quelque chose. Il tremblait. De froid ? D'émotion ? Pour le sortir de sa torpeur, je le secouai un peu et lui proposai de faire le tour du lac. Il se leva. Nous marchâmes à son allure et je lui laissai tout le loisir de graver le décor dans sa mémoire. À plusieurs reprises, je songeai à la conversation que nous devions avoir au sujet de nos fins de vie respectives, mais l'idée de l'imaginer entrant dans ces eaux sombres comme je voulais le lui conseiller était si terrible que je remis une fois encore notre entretien à plus tard. J'avais tant de peine que je pris la main de Secret et ne la lâchai plus de toute notre promenade. Par moments, je levais les yeux au ciel et priais Dieu de lui donner le meilleur des sorts après ma mort.

10 juin 1932

L'évolution de ses tumeurs est une des causes de ma dérobade. Je ne parviens pas à lui parler. Ah ! Comment pourrais-je expliquer cela ? Je pense que Secret pourrait en mourir, avant que la vieillesse ne m'emporte moi-même... et à quoi cela servirait-il alors d'engager cette conversation si horrible et si douloureuse ? Oui mais... s'il vit plus longtemps que moi, quel sera son sort quand je ne serai plus là ? Ah ! Je ne sais plus quoi faire ! Cette irrésolution me jette chaque fois dans une tristesse qui persiste des jours durant.

Noël 1933

Avant-hier au soir, j'ai bien cru pouvoir entamer la conversation avec Secret. À cause de cette forte douleur dans la poitrine, j'avais peur de trépasser. Mais par prudence, je suis allée voir le docteur ; il m'a assurée que je ne souffrais pas du cœur. Mon mal provient de mon état psychologique, pense-t-il, et ma foi, je crois qu'il a raison ! Il prétend que c'est ma solitude et l'âge venant qui me procurent ces angoisses. Moi je sais qu'elles ne sont dues qu'à l'épreuve que je vis depuis la naissance de Secret, au doute que j'ai continuellement de ne pas savoir le rendre heureux. Voilà pourquoi j'ai encore retardé cette maudite conversation ! Et parce que ce mal n'annonce pas ma mort. Par ailleurs, comment lui parler de choses si horribles en cette période de Noël ? Je lui ai offert un beau livre. Le soir, nous lisons souvent ensemble ; je m'installe dans le fauteuil près de son lit. Je n'ai plus envie de poursuivre ce journal. Écrire me donne désormais de forts maux de tête. Je ne ferais que répéter ce que j'ai déjà écrit.

Septembre 1935

Le temps file. Les années passent. Secret grandit, et ses infirmités aussi, conformément aux pressentiments de ma tante. Mais il est heureux, hormis quelques angoisses qu'il garde secrètes et qui sont liées, je crois, à la mort de Berthe. Elles surgissent en effet toujours quand nous revient son souvenir. Voilà encore l'une des raisons pour lesquelles je repousse notre entretien – et son horrible sentence. Oui, Secret est heureux. Combien de fois l'ai-je regardé à son insu ! Ses plaisirs autorisés, il les savoure pleinement. Combien de fois l'ai-je surpris, abandonné au bien-être dans l'eau de la fontaine les lundis de grande chaleur, dans le ravissement de ses lectures le soir, dans la joie des jeux que nous partageons, dans le bonheur du spectacle captivant qui lui est offert chaque jour depuis la fente de son réduit. Ah, combien de fois aussi ai-je été gênée par les paroles de certains hommes en quête d'une aventure ! Par leurs gestes ! Je sais bien que Secret voit et entend tout de là-haut. En ce début d'adolescence, je n'ai toutefois remarqué chez lui aucun signe d'éveil sexuel. Ma tante avait encore une fois vu juste : il ne peut ressentir d'instinct sexuel. Quant à moi, j'ai depuis longtemps perdu mon « sens de l'amour » et aucune proposition ne me tente. J'ai jeté dans un trou noir le souvenir de mes derniers ébats avec Raoul.

Mes seules occupations, mes seuls divertissements, ont trait à Secret et à mon auberge.

23 septembre 1936

On dit que le destin fait parfois bien les choses. En fut-il ainsi hier, lorsque de forts maux de ventre m'ont obligée à m'aliter plus tôt que d'ordinaire ? Rien de grave cependant, ces douleurs sont liées à la phase finale de mon cycle. Mais Secret, qui l'ignore, s'est inquiété outre mesure, il a frappé à ma porte et m'a tendu un feuillet, que j'ai pris nonchalamment, sur lequel il avait écrit : « Si tu partais comme tante Berthe, que deviendrais-je ? »

Je me suis redressée dans mon lit, oubliant complètement mon mal de ventre. Ainsi se présentait l'occasion que j'avais à la fois tant espérée et tant redoutée ! Je pouvais donc souffler à mon fils la solution à laquelle j'avais pensé à sa naissance, mais je n'ai pu prononcer un mot. Comment une mère aimante peut-elle dire à son enfant d'entrer dans les eaux du lac et de s'y noyer ? Je puis écrire qu'à cet instant précis, je ne savais plus où était ma conviction ! J'aime tant Secret que je souhaite qu'il vive bien plus longtemps que moi — et même si je songeais que ma vie pouvait cesser bientôt, je ne pouvais supporter l'idée qu'il mît fin à la sienne pour m'obéir ! Il est encore si jeune, et je l'ai vu si heureux ! Je demeurai sans voix, le cœur comprimé dans un étau. Quelques minutes s'écoulèrent, puis Secret m'a donné un petit coup sur le bras. J'ai perçu une prière muette dans ses yeux.

— Je ne sais... pas, bredouillai-je tandis qu'il se remettait déjà à gribouiller sur sa feuille. J'attendis puis je lus :

— Je ne pourrai pas rester dans la maison, n'est-ce pas ?

Je le regardai avec consternation. Sa façon de questionner alors qu'il connaissait la réponse ne m'était pourtant pas inconnue ! Cherchait-il une solution qu'il me croyait seule à détenir ?

— Si je mourais, lui répondis-je, l'auberge irait à l'État et on te découvrirait. Je crains bien, mon pauvre enfant, qu'on te mette à l'asile... Je ne crois pas qu'il existe une âme charitable, sauf pour t'exhiber dans un cirque. Les hommes sont tels qu'ils tireraient profit de ton apparence, sans éprouver pour toi un semblant de sentiment.

Secret réfléchit un court instant puis baissa de nouveau sa tête sur la feuille. Je ressentis un remords, plus profond que ma peine, de ne pas lui avoir donné un espoir.

— Je peux me tromper, ajoutai-je précipitamment. Il y a tout de même de braves gens sur cette terre !

Pendant ce temps il écrivit :

— Alors j'irai dans les bois !

Je crois bien que j'ai souri et passé ma main dans ses cheveux. Mais c'est d'un ton toujours grave que je lui ai répondu :

— Tu ne pourrais vivre dans les bois comme une bête sauvage. De quoi te nourrirais-tu l'hiver ? Et même l'été ?

— Je pêcherai et je chasserai, écrivit-il.

— Tu ne sais faire ni l'un ni l'autre ! osai-je crier.

— J'apprendrai !

— Quand bien même ! Le gibier se cache durant les grands froids. Et sous quel abri te protégerais-tu de la bise, de la tourmente ?

— Je trouverai des grottes et je ferai du feu !

Je faisais non de la tête, proclamant que cette vie sauvage n'existait que dans les livres d'aventures que je lui avais offerts. Épopées d'un autre temps vécues par des hommes normaux, et non dotés de lourds handicaps. La douleur me fendait le cœur, parce je n'usais d'aucune délicatesse et parce que je savais que Secret m'avait soumis ces suggestions en sachant bien qu'elles resteraient vaines. Je me demandai pourquoi et je l'appris quand il me lança :

— Alors je me tuerai ! Puisque je ne pourrais vivre… Oui, quand tu cesseras de vivre, ma vie s'arrêtera elle aussi !

Il me fixait de sa prunelle bleue et j'y vis le poids de sa résolution. Il venait de faire son choix – celui que j'avais fait au jour de sa naissance ! Je fus… Ah, comment dire ? Comment expliquer ce que je ressentis ? Une sorte de soulagement et une infinie douleur en même temps. Car quelle mère aurait pu se réjouir de la mort préméditée de son enfant ? Je ne sais quelle terreur s'empara de moi, et je sautai du lit, pris la tête de mon fils dans mes mains et l'appuyai contre mon ventre. Quelle folle conscience me retenait de ne pas désapprouver ce choix ? Quels sentiments aussi confus ? Je croyais être dans l'erreur la plus complète depuis le jour où j'avais pris la décision de garder son existence secrète. En avais-je le droit ? J'avais toujours agi dans un seul but : protéger mon enfant. J'avais étudié toutes les hypothèses, imaginé toutes les éventualités, et, chaque fois, ma raison m'avait conduite sur cette voie. N'avais-je jamais rien désiré d'autre que de lui rendre l'existence heureuse ? Or, en cet instant précis, je compris que si j'avais eu le droit de choisir que Secret vécût, je ne pouvais discuter l'issue qu'il envisageait après ma mort. Je gardai donc le silence.

— Je sais bien, écrivit-il, que je ne pourrai vivre sans toi, mais comment faire ? Comment trouver la mort ? Dis-le-moi !

Avais-je cette fois le droit de lui donner une réponse qui renforcerait sa décision ? Celle-là était-elle bien définitive ? Je lui demandai :

— Es-tu bien sûr de toi ?

Il hocha la tête et je vis encore de la supplication dans ses yeux. Je sus que je pouvais répondre, même si, au moment de ma mort, quelque chose inciterait Secret à choisir la vie.

— On peut mettre fin à ses jours de maintes façons, dis-je.

J'hésitai. Je ne voulais pas que ma voix trahisse mon insondable tristesse.

— En entrant dans le lac par exemple... Il suffirait d'avancer jusqu'à ce que le sol se dérobe sous tes pieds...

Ma voix s'étrangla au moment où je remarquai sa joie. Quelle aberration de voir cet enfant de treize ans et demi exprimer de la liesse en de tels instants ! Il était content de posséder la solution pour passer de vie à trépas... Brusquement, je pensai que sa demande résultait peut-être d'une angoisse qu'on peut aisément imaginer. Je frissonnai. Mais il s'empressa d'écrire :

— Ne crains rien, je n'ai pas peur de mourir, et je n'aurai pas non plus peur quand le moment viendra.

Je ne pouvais m'empêcher d'imaginer cet instant fatidique. Comme s'il approchait déjà, je le redoutais. J'attirai une nouvelle fois Secret contre moi. Je voulais savourer sa présence. Je caressai ses cheveux, sa tête et ses lipomes, sans aucune répugnance. Dans un sanglot, je m'écriai :

— N'y pense plus ! N'y pensons plus tous les deux ! Tu vois, mon petit Secret, la mort est le sort final de tous les êtres ; ils n'y pensent pourtant pas tous les jours. Personne ne sait quand viendra le moment fatal. Il peut être loin ou proche. Quant à nous, je suis sûre que nous avons encore des années à vivre !

Après de longs câlins, Secret regagna sa chambre. Je me recouchai sans pouvoir trouver le sommeil. Je sombrais sans cesse dans d'horribles songes éveillés. Combien de fois eus-je envie d'aller encore cajoler mon fils ! Paradoxalement, cette nuit marqua le début d'une certaine réserve que nous adoptâmes tous deux. Ce fut peut-être là une manière de chasser l'un et l'autre nos douleurs, ou de ne pas les entretenir à travers nos étreintes. »

11

Le cahier glissa de la main de Secret. Les cloisons donnèrent soudain de la gîte et le plancher vibra des notes de l'accordéon, des cris, des chants et des rires des fêtards. Sa tête chuta et son œil globuleux alla s'écraser sur la fente où tant de fois il s'était posé. En bas, l'obscurité était totale, mais elle fit place à la lumière frémissante des lampes. Sur la table, il vit alors des boudins, des andouilles, des entrecôtes, des cailles et des faisandeaux rôtis. Autour de la table, un grand nombre de débauchés en habits de circonstance. Ils s'en mettaient plein le gosier ; entre chaque bouchée, ils essuyaient leur lippe dégoulinante de vin. Il y avait là le maire de Lieudieu, les Brenasse, les Pradel, les Laurent, les Duvernet, les Pavéro, les Villard…, artisans et paysans de la contrée venus faire bombance pour la Sainte-Barbe ou la Saint-Martin ! « À la tienne, Étienne ! » qu'ils disaient, entrechoquant leurs verres. Des rots et des rires gras fusaient de toutes parts.

Ces bons ivrognes s'en payaient une bonne tranche, oubliant leurs maux et leurs misères dans la chère et le vin. Plus celui-ci mouillait les luettes, plus la joie grandissait. La chaleur venant aux corps, les femmes quittaient leurs dentelles, les hommes leurs chapeaux et leurs gilets d'apparat. Déjà des relents de sueur se mêlaient aux fumets des plats. Des voix se mettaient à chanter, et, dans les rengaines, on entendait parfois l'une d'elles s'écrier : « Eh, Joséphine, tu as de belles cuisses et le bagage bien garni », « Fais-y voir si tu le faisais danser ! » Et une autre voix proposait : « Si l'on faisait gigote ? »… Et tous ces braves bambocheurs applaudissaient quand l'accordéoniste se levait pour empoigner son instrument. Il l'accrochait à ses épaules par des bretelles, l'exhibait sur son ventre et on en voyait briller la nacre autant que les prunelles. Les cris, les galéjades, les éructations et les rires cessaient. Le silence devait être d'or avant la musique ! Le musicien tripotait cette nacre de ses doigts agiles et manœuvrait le soufflet d'où jaillissait une musique à vous faire mourir de bonheur et qui vous excitait les gambettes. Alors, ils quittaient la tablée, formaient des couples et se jetaient, mines réjouies, dans la danse. La danse ! Synonyme de bonheur ! Faite pour s'oublier un peu plus ! Le temps d'une valse – puis d'une marche et d'une bourrée ! Et vlan ! les couples se désunissaient et se reformaient ! L'ivresse montait et découvrait les jupons des femmes et les poitrines des hommes. Et ça tournait, ça tournait de plus belle !

Du haut de son perchoir, Secret admirait la beauté du bal. Ces crânes, ces bras roses et ces froufrous dans la lumière tamisée, c'était... Ah ! C'était un tableau que tant de peintres auraient voulu croquer, là, sur le fait ! Parfois, le garçonnet reconnaissait sa mère, s'étonnait de sa grâce. Il devinait la main de l'homme lui palpant l'échine et ressentait une pointe de jalousie. Mais elle disparaissait à l'instant où son œil se reperdait dans cette sarabande, dans laquelle il ne percevait plus les différences entre les uns et les autres. Pour ne plus sentir sa propre différence, il entrait complètement dans le tumulte, par l'esprit et par le corps. Il se voyait là-dessous en train de danser. Il dansait ! Oui, il dansait ! Et le miracle se faisait alors, effaçant ses blessures et cicatrisant ses plaies. Il lui semblait que son organisme se délivrait de tous ses handicaps ; la danse l'entraînait dans cet élan de tous et faisait éclater sa lourde gangue tumescente. Il dansait, jusqu'à l'ivresse, et, jusqu'aux aurores, se nourrissait de cette culture offerte par un banquet d'ivrognes.

L'accordéon cessa de jouer, les voix et les cris s'estompèrent, puis disparurent. Secret écouta le silence, semblable à celui des lendemains de fête, et à celui de ces soirs où il s'enivrait à son tour. Quand il était sûr qu'Amélie dormait, il descendait en effet au rez-de-chaussée, aussi subrepticement qu'un serpent, et allait au bar. Il soupesait les bouteilles les unes après les autres, contemplait les alcools à travers le verre. Ces fameux alcools de toutes les couleurs, aux goûts multiples, qui avaient le pouvoir d'apporter l'oubli aux hommes et de les faire rire, chanter et danser. Puis il buvait presque à la régalade, sans que le goulot touche ses lèvres. Elles étaient trop déformées pour pouvoir se refermer hermétiquement ; le liquide aurait débordé. La première fois, Secret s'était trop rapidement laissé prendre au piège de la soûlerie et l'effet n'avait pas été celui qu'il escomptait. Amélie l'avait surpris au petit matin dans un état épouvantable et l'avait sermonné. Honteux, il avait laissé passer des mois avant de recommencer, poussé par un désir irrépressible. Il avait bu, sans excès, pour ne pas être malade et savourer cette fois consciemment son ivresse. Combien de fois avait-il bu par la suite ! Il avait bu à tout ce qu'il n'avait pas ! Il s'était oublié... Avant le petit jour, il sortait de l'auberge, bouteille à la main. Premier spectateur du clos, il trinquait aux premiers rayons de lumière sur les murailles, souhaitant que ce jour nouveau en précédât d'autres toujours plus beaux. Lorsque les premières vapeurs montaient de la terre et que celles de son cerveau s'évaporaient, il remettait les bouteilles à leur place et regagnait sa chambre pour y chercher un sommeil d'or.

Dans le réduit, le silence était semblable à

celui de ce matin d'automne où Amélie était venue le réveiller pour partir au lac. Bien que la nuit fût encore derrière les persiennes, des oiseaux piaillaient derrière la fenêtre. Ce matin-là, Secret ne vit pas de clarté dans la chambre ; il n'aperçut pas non plus les particules de poussière qui, les autres jours, voletaient dans l'atmosphère à son lever. Mais quel spectacle l'attendait dehors ! Ah, quelle sensation il éprouva quand Amélie l'entraîna dans la sente, lorsqu'il leva la tête et que sa vue fut attirée par cette grandeur… La terre entière semblait sous ses yeux, à ses pieds ! Durant un instant, il eut l'impression de tanguer, de flotter dans l'espace, comme l'une de ces particules de poussière qu'il observait à son réveil les autres matins. Il se sentit petit. Ce n'était pas comme dans les livres d'images où la profondeur n'avait pas sa vraie proportion !

Secret marcha au côté de sa mère sans cesser d'admirer le panorama ni d'ignorer la caresse de l'herbe sur ses mollets. Comme celui de la fête, ce moment-là avait quelque chose d'enivrant, mais l'enfant restait conscient du bonheur que l'un et l'autre lui procurait. Il demeura dans cet état tout le long du sentier, jusqu'à ce que le lac ouvrît devant lui ses eaux verdâtres. Il fut saisi d'une émotion étrange, proche de la peur et de l'envoûtement. Assis dans les joncs, il en chercha longuement la raison ; il chercha sur la surface verte de l'étang et dans ses profondeurs noires, dans les frondaisons carminées des arbres, dans le ciel et ses nuées... Il chercha partout mais ne trouva pas ; il portait cette crainte en lui depuis le soir où il avait eu cette conversation avec sa mère. Quel instant décisif que celui-là, et quel instant douloureux ! Il avait regagné sa chambre toute peur envolée, ayant compris que celle-ci relevait de la prémonition. Près du lac, ce jour-là, il eut sans doute conscience, par-delà tous les mystères, qu'il se trouvait au rendez-vous de sa mort. Toutes les fois où ils s'étaient rendus au lac par la suite, le fils de l'aubergiste avait tenu un discours ésotérique avec son prochain tombeau. Cela se produisait trois fois par an : au printemps lors de la foire aux bestiaux, à l'automne entre pêche et chasse, en hiver pendant la période des tuailles de porc.

Secret ouvrit les yeux sur le plafond de son antre. Il se remit à pleurer. Non parce que sa dernière heure était proche, mais parce qu'il venait de revoir le visage d'Amélie quand elle était peinée. Combien de fois avait-il réveillé sa tristesse ! Cela se produisait généralement quand il s'interrogeait sur sa laideur et qu'il questionnait sa mère sur ce géniteur inconnu. « Comment était-il ? » avait-il voulu savoir un jour. La veuve lui avait fait une description de Raoul Mallet ; elle lui avait révélé qu'il n'avait pas hérité d'un iota de sa beauté. La curiosité du petit garçon l'avait poussé à demander si Raoul était venu à l'auberge. Elle lui avait répondu que son ancien amant avait quitté le pays depuis fort longtemps – nouvelle qu'elle avait apprise par les habitués de l'auberge. Par la suite, Secret l'avait encore questionnée mais, parce qu'elle paraissait ennuyée, il avait finalement cessé ses interrogatoires. À présent qu'il connaissait la vérité, il ne portait aucun jugement sur l'incartade de sa mère, ni sur ses désirs d'avorter, ni sur les raisons qui l'avaient décidée à cacher l'existence de son fils. Elle lui avait apporté tant d'amour et offert toutes les joies possibles !

Il ravala ses larmes. Sa douleur dépassa toute notion d'intensité, parce qu'il ne se rendrait plus au lac avec elle, parce qu'il ne la verrait plus valser, parce qu'il ne goûterait plus à ses festins, parce qu'il n'irait plus au jardin les lundis pour gratter la terre à sa place, parce qu'il ne la regarderait plus touiller les confitures de groseilles, de mûres ou de myrtilles qu'elle allait cueillir. Parce qu'il ne voyait plus son sourire et n'entendait plus sa voix… parce qu'ils étaient heureux et qu'un Robert Laurent avait tout brisé !

La vie suivit son cours sous le ciel de la Valny, où soufflaient sempiternellement aquilons et zéphyrs. Mais des vents plus furieux progressaient sur tous les continents et poussaient l'Histoire vers de nouveaux temps de guerre. Les catastrophes se succédaient depuis le grand krach financier des États-Unis, le 24 octobre 1929, qu'on avait baptisé « le jeudi noir » de la Bourse de New York. Le dollar ne valait plus rien ! Une surproduction industrielle et agricole entraîna une baisse des prix ; la crise déferla sur le monde, atteignant l'Europe et la France. Le commerce international fut bloqué. Les États-Unis renvoyaient des voitures neuves à la casse, le Brésil brûlait son café dans les locomotives ou le jetait à la mer ; la France dénaturait son blé, distillait son vin en excédent et abattait ses bovins. À Lieudieu, on creusa des fosses non loin de la Donge, un immense parc d'équarrissage où des bêtes furent abattues et enfouies sous de la chaux vive qu'on arrosa de pétrole. Les marchés furent désorganisés et de nombreuses entreprises firent faillite. De grandes braderies virent le jour un peu partout et, à Saint-Baptiste, en juin 1935, les chalands trouvèrent aussi leur compte en achetant au-dessous du prix de revient.

Ce désordre conduisit à la récession une France qui comptait déjà un million et demi de chômeurs. Appuyés par les syndicats, ils entamèrent des manifestations quotidiennes, provoquant l'apparition de nouveaux hommes politiques, tels Laval ou Tardieu et de ligues antiparlementaires de droite, dont la tendance atteignit rapidement les campagnes de la Valny, qui comptait quantité d'ennemis jurés des communistes. Ces émeutes incitèrent la gauche à se regrouper et à constituer le Front populaire, qui remporta les élections législatives en juin 1936. Léon Blum devint président du Conseil. Un grand espoir naquit au sein des masses lors des accords de Matignon, le 7 juin 1936, qui mirent en place les contrats collectifs, les congés payés, la semaine de quarante heures… À Rimont, une coopérative agricole fut fondée à la suite d'une régularisation du marché des céréales.

Mais tous ces événements préparaient des jours noirs. Et l'élimination par Hitler des opposants communistes, la guerre civile en Espagne, débutée en juillet 1936, la grande montée du nazisme et ses effets dévastateurs, les accords de Munich avec l'occupation des territoires tchécoslovaques des Sudètes, ajoutaient au chaos qui menait inévitablement à une nouvelle guerre. Le 1er septembre 1939, lorsque la Wehrmacht envahit la Pologne, l'Angleterre et la France, ses alliées, vinrent à son secours deux jours plus tard en déclarant la guerre. La mobilisation générale fut décrétée.

Ce jour-là, dans l'auberge, Secret avait assisté depuis son antre à un grand remue-ménage. Des poilus de 1914 réunis au bar rageaient de ne pas en avoir terminé avec la « der des der ». Ils fulminaient de faire partie des classes appelées sous les drapeaux. Nombre d'entre eux exhibaient leurs anciennes blessures en criant qu'ils seraient réformés à cause d'elles. Mais les autres faisaient mauvaise figure : « Bons pour le service », qu'ils étaient ! Amélie leur servait le canon sans mot dire, apitoyée par leur sort et celui des jeunes conscrits qu'elle voyait venir à l'auberge depuis que les événements se précipitaient. Beaucoup d'entre eux avaient festoyé dans les villages en attendant leur conseil de révision. Ils prenaient le droit de boire pour prouver qu'ils étaient enfin des hommes. La fierté qui s'affichait sur leurs visages encore enfantins rendait Amélie morose. Mais lorsqu'elle pensait à Secret, une joie lui revenait dans l'âme. Cette nouvelle guerre ne lui prendrait pas son fils unique ! Il n'avait que seize ans et demi, certes, mais même si le conflit devrait durer plus longtemps que le précédent, il n'irait pas combattre ! Ce fut l'une des rares fois où elle s'aperçut que Secret se rendait compte de sa différence.

— Tu serais trop jeune, avait-elle déclaré.

— Dans deux ans et demi, je pourrai y

aller ! avait-il répondu. Car la guerre ne sera pas finie...

Il avait suivi de si près les mouvements, par l'intermédiaire des journaux et de la radio, en questionnant sa mère et en écoutant les discussions au bar, qu'il était plus informé que n'importe qui dans la contrée. Son isolement semblait en outre l'avoir rendu plus mûr qu'il n'aurait dû l'être à son âge. Dans les temps qui suivirent, il ne fit néanmoins pas d'autre remarque, attendant, comme les appelés dans leurs casernes, l'invasion brusque et totale de la France par les troupes allemandes. Elle eut lieu en mai 1940. Secret prêta sa fine oreille aux propos des permissionnaires qui s'arrêtaient à l'auberge et racontaient le marasme de cette drôle de guerre. Par ses moyens d'information habituels, l'adolescent suivit la marche de l'ennemi, de Sedan aux côtes de la Manche, jusqu'à Paris, à la vallée du Rhône, à Saint-Étienne et à la Valny même... Il apprit les bombardements des villes populeuses qui constituaient une cible au même titre que les usines ou les nœuds ferroviaires : Saint-Étienne, Clermont-Ferrand, et même Rimont, où l'on déplora plusieurs victimes. Les blindés

allemands avaient fait une avancée fulgurante. La déroute de l'armée française
empêcha les élèves de Saint-Baptiste de passer
leur certificat d'études. Au lieu de plancher sur
leurs feuilles, ils regardèrent passer tout un
défilé de chars et de chenillettes chargés
d'hommes rompus par cette maudite guerre.

L'Auberge du lac était devenue le lieu où
circulaient toutes les nouvelles, et Secret était
aux premières loges. Son attention ne se
relâcha pas jusqu'au 22 juin, lorsque le maréchal Pétain signa l'armistice. Mais plus le
temps passait, plus l'adolescent se dressait
contre le régime mis en place, surtout depuis
le vote des pleins pouvoirs au maréchal.
D'autant plus quand, en mars 1941, une foule
ignorant tout de la politique acclama Pétain et
qu'une femme fut arrêtée et chargée dans un
fourgon pour avoir crié : « Vive la Répu-
blique ! » En France restaient seulement les
tout jeunes garçons, les vieillards, et lui,
Secret ! Il fallait aussi compter avec deux ou
trois fugitifs de la débâcle, comme Robert
Laurent, qui, lors des veillées à l'auberge, se
vantait d'avoir héroïquement échappé aux
Allemands – lui qui n'en avait jamais vu un !

L'époque des restrictions débutait mais, en Valny, le seigle trouva toujours son vieux meunier, la farine le four banal des villages où les femmes mettaient à cuire de grandes tourtes de pain noir. Le vin manqua, certes, mais on ne rechignait pas à le remplacer par de la gnole remisée dans les caves. La viande, quant à elle, provenait des porcs de la ferme, des collets et des lignes que les vétérans plaçaient çà et là en travers de la rivière, du lac et des bois. Bref, dans ces campagnes giboyeuses et agricoles on ne souffrait pas trop de la pénurie. À l'auberge, Amélie prenait sur les récoltes du jardin ; le vin, elle le puisait aux tonneaux mis en réserve dans la cave, de quoi réjouir le peu d'hommes qui voulaient en boire. Secret pouvait donc satisfaire son plaisir de manger et celui de gratter chaque lundi la terre du potager. Jamais celle-ci n'avait été plus fertile qu'en cette sale période où le temps était favorable aux cultures. Ce fut également durant ces jours que l'adolescent entama ses premiers tableaux à la craie sèche, croquant sur des supports en bois ou en carton les objets qu'il avait sous les yeux. Il dévoila un si grand talent qu'Amélie, confondue de fierté et d'ébahissement, l'encouragea à peindre sans modèle, mais seulement à partir de la multitude d'images contenues dans son esprit. Il l'écouta et s'en donna à cœur joie en représentant les banquets d'avant-guerre : silhouettes étranges tourbillonnant sous un lavis qu'il obtenait en mouillant ses craies avec la salive qui gouttait toujours à sa bouche. Ce flou conférait à ses œuvres un style abstrait où l'œil se heurtait à une incroyable réalité, dans la lumière des lampes, le mouvement de la danse et le flottement des jupons.

Amélie pleura de joie et de désespoir, la nature ayant doté son enfant de la plus incroyable des disgrâces et du plus grand don de peintre. Elle avait mis au monde un monstre et un génie ! L'art pictural ne fut pas moins à son zénith quand Secret se mit à représenter des natures où même l'esprit le plus ignare ou le plus mesquin ne pouvait pas ne pas s'aventurer ! Car il y avait là quelque chose d'invisible qui attirait l'attention, comme un aimant aurait attiré le fer. Il était impossible d'en détacher le regard et de ne pas l'y perdre. Amélie eut beau chercher, elle ne trouva pas l'origine d'une telle attraction ; elle en déduisit que c'était la beauté intérieure de Secret qui s'exprimait là. Chaque soir, quand elle remontait du bar, elle avait la surprise de découvrir une nouvelle œuvre. Elle s'enorgueillissait du talent de Secret, sorte d'atavisme venu de l'étrange. Elle accrocha les tableaux aux murs des chambres, du couloir et de tout l'étage. Elle ne put s'empêcher d'en disposer un dans la grande salle, bien en vue de la clientèle. Lorsque les consommateurs s'extasiaient, elle disait que sa tante Berthe le lui avait légué.

Outre ce nouvel engouement, Secret continuait de suivre l'actualité de près ; il poursuivait aussi ses lectures, le soir, à la lueur de la lampe, enrichissant ses connaissances, en particulier dans le domaine de la religion, de l'aventure, de l'art… Si l'obscurantisme de sa mère le gênait parfois, il le dissipait dans la lecture de romans populaires qu'elle croyait innocents. Mais comment des auteurs confirmés comme ceux qu'elle lui donnait à lire (Émile Zola, Jules Verne, Guy de Maupassant, Alexandre Dumas…) auraient-ils pu écrire des ingénuités ? Les livres étant l'héritage de toutes les Lumières, Secret savait tout des domaines réservés, tels que la sexualité. Il s'étonnait souvent de ses émotions, en particulier quand il s'égarait dans de grandes histoires d'amour, qui éveillaient son psychisme et non son physique. Un courant très doux passait dans ses veines et le réjouissait de la même façon que les caresses de sa mère. L'adolescent n'admirait pas plus la beauté féminine décrite dans ces ouvrages que la beauté virile dont il se dotait dans ses rêves. Quelles nuits ! Parfois, à l'aube, entre deux sommeils, il se voyait transformé en prince, comme un peu plus tard la Bête de Jean Cocteau. Sauf que Secret n'avait pas de Belle face à lui. Lorsque la réalité l'accablait de nouveau, il restait un instant surpris par le poids de sa laideur, mais finissait par l'accepter. Il vivait en savourant les plaisirs qui lui étaient accordés. Son existence aurait pu durer longtemps ainsi, si la guerre ne s'était poursuivie.

Déjà, les structures initiales de la Résistance avaient été mises en place et des maquis s'étaient constitués, en Valny comme ailleurs. Laval annonçait dans son discours du 22 juin

1942 qu'il souhaitait la victoire de l'Allemagne et donnait son accord pour la relève des prisonniers, assurant aux jeunes de France que c'était pour la libération de ces derniers qu'ils iraient travailler en Allemagne. Plus aucune illusion n'était permise quant à l'attitude du gouvernement de Vichy ! Dès la promulgation de la loi sur le STO en 1943, une foule de jeunes appelés gagnèrent les premiers maquis plutôt que de se rendre en Allemagne dans des régions industrielles fréquemment bombardées, comme la Ruhr. Ainsi, à la fin 1943, la Valny comptait quatre maquis, qui regroupaient plus de deux cents hommes venus de Saint-Baptiste et de Rimont, quelques-uns de Lieudieu et de Chazelle. Ils supportaient mal la défaite et l'installation du régime antirépublicain et souhaitaient apporter leur soutien à l'Angleterre et au général de Gaulle. Ils furent rejoints par des opposants au régime, des juifs et des étrangers qui voulaient échapper aux polices lancées à leurs trousses. Ayant appartenu à divers organismes rapidement découverts par la Gestapo ou par les polices de Vichy, nombre d'entre eux se fondirent dans un unique mouvement : les MUR (Mouvements Unis de la Résistance), dont l'AS (l'Armée Secrète) fut le bras armé. Le but final de tous ces hommes était de combattre l'occupant nazi. Ils s'attaquèrent aux chemins de fer, aux routes et aux lignes électriques afin d'entraîner le repli des troupes ennemies.

Cette série de sabotages et de harcèlements exaspérèrent l'occupant, les services d'ordre et la Milice instaurée par Darnand. À certains endroits, les clivages dans la population, rapidement accentués par le marché noir, opposaient les citadins aux ruraux, les pauvres aux nantis, les vichystes aux gaullistes. Des délateurs n'hésitaient pas à vendre leurs voisins résistants. Il y eut de vastes opérations dans le secteur de Saint-Baptiste, exécutées conjointement par la police allemande et les miliciens. On vit des fermes incendiées et des tueries sans nom. Quelques fermiers périrent sous les mitraillettes pour avoir caché des résistants. Sans doute y avait-il eu des dénonciations en Valny, car les groupes mobiles de réserve passèrent plusieurs fois la région au peigne fin. Mais les réfractaires restèrent bien cachés dans leur maquis, judicieusement implanté dans une combe profonde truffée de pins. Il était sous le commandement de Jules Brossier, chef de secteur dont le rôle consistait à recruter, informer, ravitailler et contrôler les autres maquis de la zone. Habitué de l'Auberge du lac, il en fit un point de chute où se rencontraient discrètement des responsables de la Résistance. Ayant confiance en Amélie, il lui dévoila certains faits dès le début de l'année 1943, jusqu'à la prévenir de « visites éventuelles » ; en d'autres termes, elle était susceptible de recevoir et d'héberger temporairement des prisonniers évadés ou des réfractaires avant qu'ils ne soient amenés dans les maquis. Ces hommes traqués affluaient à l'époque, car la capitulation allemande à Stalingrad redonnait de l'espoir à tous : le Reich ne pouvait remporter la victoire !

12

Depuis sa cachette, Secret vivait une réelle aventure. Les sabotages et les largages de Londres ou d'Alger le faisaient rêver. Il voyait débarquer des réfractaires que sa mère cachait dans les chambres vides, le temps que l'instituteur de Lieudieu, un certain Émile Mourges, leur fît parvenir de faux papiers. Un jour, Amélie accepta de loger dans la cave un jeune fuyard, pour une durée un peu plus longue. Secret était fier de sa mère ; informé des délations dans les secteurs proches, il éprouva néanmoins aussi de la peur. Il se mit à soupçonner Robert Laurent, qui s'attardait au bar et rôdait plus que de coutume autour de l'auberge. De son œil scrutateur, l'adolescent l'épiait, comprenant que le paysan était à l'affût de tout renseignement. Secret surveillait aussi les faits et gestes de sa mère, redoutant à tout instant une bévue qui aurait révélé la présence du maquisard, mais l'aubergiste agissait toujours avec une extrême prudence. Aucun incident ne se produisit jusqu'au départ du maquisard, ni au cours de l'année 1943. Secret oublia ses craintes – quand, le 18 mars 1944, au petit matin, Jules Brossier fit irruption dans l'établissement encore désert. Il paraissait soucieux. Amélie, qui garnissait l'âtre, comprit dès qu'elle le vit le motif de sa venue.

— Il faudrait cacher quelqu'un jusqu'à après-demain, je ne peux pas le conduire au maquis d'ici là, lança-t-il rapidement.

La veuve se redressa et attendit, les mains sur les hanches, la justification de cet empêchement, mais Brossier demeura discret.

— Quand ? demanda-t-elle alors.

— Ce soir, répondit l'homme en s'essuyant le nez d'un revers de manche.

Amélie opina et il ajouta aussitôt :

— Ce ne sera peut-être que pour une nuit…

— T'en fais donc pas, répliqua-t-elle avec

un sourire de biais. Bois un coup, tu m'as l'air gelé.

— Ouais, le temps s'est bien refroidi ; on dirait que l'hiver revient par chez nous. Va pour un peu de vin, et je pars vite !

L'aubergiste contourna le bar, sur lequel Jules Brossier s'accouda. Tout en remplissant un verre de vin, sa curiosité aiguisée, elle se borna à lui demander :

— Rien de nouveau ?

Il fit une grimace et haussa les épaules :

— Avant-hier, ils ont arrêté Paul Verdier à l'auberge de Lieudieu parce qu'il a abattu un agent de la Gestapo. Je crains pour lui… Mais je pense que tu es au courant, n'est-ce pas ?

— Oui, je le sais, mais il est blessé, le Paul !

— Légèrement, et j'ai entendu parler d'une évasion… Je ne crois pas qu'elle se fera car ils ont aussi arrêté le docteur Denise à l'hôpital, et la police reste sur place.

Amélie poussa un soupir qui témoignait de son regret et de son sentiment d'impuissance. Brossier avala son vin d'un trait. Il éprouvait lui aussi du regret de lui avoir caché la vérité, mais il était empêché par quelque chose qu'il ne parvenait pas réellement à définir, fortement lié toutefois à l'idée de la mettre en danger. Et pour cause ! La veille, des Allemands avaient encerclé Chazelle et procédé à des contrôles d'identité. Une personne avait été emmenée. Peu de temps après, miliciens et groupes mobiles de réserve avaient attaqué le maquis des Grosses, à peu de distance du sien. Tous les maquisards avaient été tués au cours de l'assaut, onze jeunes gens de dix-huit à vingt ans ! La patrouille était descendue dans les environs du maquis de Chazelle, mais elle avait fini par rebrousser chemin dans un fouillis de pinèdes accrochées à des rochers abrupts. Redoutant qu'elle ne revînt à la charge, Brossier avait donné l'ordre à ses hommes de décamper. Ils s'étaient éparpillés dans les fermes environnantes et d'autres caches sûres. C'était la raison pour laquelle il amènerait le jeune maquisard chez Amélie en attendant que le camp de Chazelle redevînt un lieu aussi sûr qu'il l'était précédemment. C'était l'affaire d'un jour ou deux. Si la Milice n'intervenait pas le lendemain, cela signifierait qu'il n'y avait pas eu de trahison.

Brossier considéra la veuve avec un air

contrit et un petit sourire au bord des lèvres. Il craignait de mettre sa vie en péril mais était toutefois soulagé qu'elle accepte d'héberger le jeune maquisard. Le résistant avait la quasi-conviction que la Milice, les polices ou les GMR ne viendraient pas dénicher le jeune homme ici, car Amélie avait, à plusieurs reprises, fait la preuve de son courage, de sa discrétion et de sa prudence. En particulier lors de la dernière intrusion des miliciens chez elle, en janvier dernier. Ils avaient fouillé les chambres, les combles, la cave, l'annexe et étaient repartis bredouilles, le visage dépité. On ne pouvait songer que cette femme seule et si effacée pût accomplir de tels actes. Ce jour-là, elle avait servi à boire à ses ennemis avec une impassibilité inouïe. Après avoir entendu l'anecdote de la bouche de son agent de liaison, Jules Brossier avait imaginé la scène, mais il était loin de la réalité. Ce jour-là, dès les premiers coups frappés à la porte, Secret s'était glissé dans le réduit et n'avait plus bougé. Dans la chambre, le lit était défait, mais qui aurait pu soupçonner que quelqu'un d'autre qu'Amélie y couchait, puisqu'elle refaisait le sien chaque matin dans la chambre d'à côté ? Depuis la création de la Milice, les jouets avaient été emmagasinés dans l'alcôve, ainsi que tout objet susceptible de trahir la présence d'un autre être à l'étage. Il ne restait que la radio posée sur la table, que Secret allumait dans les moments de grande tranquillité pour écouter Charles Trenet, Marlene Dietrich, Maurice Chevalier, d'autres chanteurs en vogue, et « *Ici Londres, les Français parlent aux Français* ».

Jules Brossier s'était rappelé du matelas qu'Amélie avait installé dans la cave pour le premier de ses hôtes clandestins, et il s'était demandé ce qu'elle en avait fait. C'est seulement après la visite de la Milice qu'elle lui apprit qu'elle enchâssait ce dernier dans une petite cavité du mur, et plantait devant de vieilles planches filandreuses. Sur la table, elle disposait des paniers usagés, des lampes cassées, des sacs en toile de jute crevés et autres misères. Bref, rien qui eût pu alerter les miliciens ! Jules Brossier était rassuré.

— À ce soir alors, lâcha-t-il.

Elle acquiesça simplement et lui adressa un regard plein d'audace et de confiance. Il le remarqua, sans se douter que ce serait pour lui le dernier et qu'il en garderait toujours le souvenir. Il serra rapidement la main de la veuve, s'éloigna du bar, enfonça son bonnet sur sa tête et se dirigea vers la porte. Quand il l'ouvrit, un grand bol d'air froid s'engouffra dans la salle et Amélie s'en retourna vers la cheminée pour allumer le feu. Elle avait mis les bûches et s'apprêtait à monter voir Secret quand la porte s'abattit de nouveau contre le mur, sous la poussée de Robert Laurent. À peine l'eut-il refermée qu'il s'écria :

— Tu as des visites de bien bonne heure, l'Amélie ! Qu'est-ce qu'il faisait ici, celui-là ?

— Et toi, que viens-tu faire d'aussi bonne heure ? répliqua-t-elle.

— Boire un coup pardi ! Un blanc sec !

Le paysan ne questionna pas davantage la tenancière, sachant fort bien qu'il n'obtiendrait d'elle aucune réponse. Ce silence le faisait rager intérieurement et il la regardait remplir son verre, avec un air haineux, cherchant à pénétrer ses secrets en scrutant ses traits. Il était sûr qu'elle cachait des choses, et que celles-ci étaient liées à la Résistance. Robert savait que Jules Brossier tenait un grand rôle dans les maquis ; il en déduisit que sa venue si matinale à l'auberge avait un motif. Ces temps-ci d'ailleurs, son père, le Gaby, ne cessait de louer le courage de la veuve et ses actes héroïques ! Robert l'avait bien questionné, mais le vieil homme avait répondu qu'il n'avait pas confiance en lui, et qu'il irait la vendre à ses amis de la Milice. Il y avait une bonne part de vérité dans ces paroles irréfléchies ! Le fils avait haussé les épaules et ressenti un surcroît de haine à l'encontre du vieux. Pour lors, Robert n'avait jamais trahi d'amis résistants, mais si on l'y poussait, il n'hésiterait pas ! Il n'avait pas le sou et le magot proposé par les miliciens ferait bien son affaire. À cet instant, devant le silence de la veuve, l'hostilité l'envahissait tout entier. Il s'exclama :

— Tu me fais crédit, l'Amélie ?

Désireuse qu'il s'en aille, et surtout fâchée par son attitude, elle répliqua :

— Non, c'est fini maintenant : tu me dois plus de trois mois !

— Je te réglerai bientôt, promit-il d'un ton suppliant.

Mais l'aubergiste ne faiblit pas.

— Je t'ai dit non ! Tu paies ton canon !

Dans les yeux rétrécis du paysan passa un regard empli de venin. Son visage, plutôt rougeaud d'ordinaire, se couvrit d'une grande pâleur. La veuve baissa les yeux et s'affaira derrière le bar. Les minutes s'égrenèrent dans un profond silence, puis le paysan ôta ses coudes du bar où il était avachi et lança d'une voix faussement aimable :

— Je te paierai ce soir, l'Amélie, j'ai pas le sou sur moi.

Toujours sans le regarder, elle répondit :

— C'est bon, mais ce sera le dernier délai.

« Qu'il s'en aille », souhaitait-elle en songeant à Secret qui devait attendre son déjeuner. Comme si le Tout-Puissant l'avait entendue, le paysan termina son verre, et, après lui avoir décoché un sourire affecté, il quitta la salle. La porte claqua cette fois encore plus bruyamment. Pour sûr, Laurent était en colère ! Mais Amélie se promit de ne plus satisfaire les demandes de ce mauvais garçon, trop fâchée par le ton familier qu'il avait employé. Elle l'oublia cependant tandis qu'elle préparait le plateau pour Secret. Elle décida ensuite d'aller étendre le matelas dans la cave et de concocter un repas consistant pour le dîner du jeune maquisard. Elle ignorait qu'au même moment Robert Laurent songeait à la voler et étudiait la façon dont il s'y prendrait. N'arrivant pas à se décider, il compta sur une faveur du destin ; grâce au diable, celle-ci devait se présenter le soir même !

À la tombée du jour, après avoir aidé son père à l'étable, lui laissant faire les deux tiers du travail, le fils Laurent reprit la coursière pour se rendre à l'auberge, tâtant sans arrêt dans sa poche de pantalon les pièces qu'il avait dérobées dans la tirelire familiale. Il avait là de quoi payer son canon du matin et ceux qu'il ingurgiterait ce soir. Il remonta le col de sa veste pour se protéger du froid devenu plus vif. La limpidité de la nuit trahissait le retour de l'hiver. Lorsque Robert arriva dans l'enceinte de l'auberge, il aperçut deux silhouettes qui se glissaient furtivement le long de la muraille. Reconnaissant Jules Brossier, il s'accroupit. Pourquoi le résistant avait-il cette attitude étrange, cette façon de marcher en tapinois ? Et qui était l'homme à ses côtés ? Robert attendit qu'ils fussent entrés dans l'auberge pour s'avancer vers la fenêtre.

Amélie avait tiré le rideau, mais, par chance, il restait une fente assez large pour épier ce qui se passait à l'intérieur. Il ne fallut guère de temps au paysan pour comprendre que le second homme était un jeune réfractaire que Brossier amenait chez la veuve pour qu'elle le cachât. Le chef de secteur quitta d'ailleurs la demeure dans les trois minutes qui suivirent. Tapi derrière les arbrisseaux, Robert le suivit du regard jusqu'à ce qu'il eût franchi le porche. Il retourna ensuite à la fenêtre, par laquelle il vit la veuve entraîner le jeune homme vers sa cave. Ainsi, elle aidait bien la Résistance ! Laurent avait à présent la preuve de ce que son père voulait lui cacher ! Il prit la décision de ne revenir que le lendemain, à un moment plus propice. Il réitérerait sa demande de crédit ; si la vieille refusait, il la vendrait aux miliciens ! Quand ces derniers l'auraient emmenée, il lui prendrait son argent. Pas celui de sa caisse, car cela éveillerait des soupçons, mais celui de la cassette qu'elle dissimulait derrière son comptoir. Il avait épié assez souvent l'aubergiste pour savoir qu'elle y déposait ses recettes quotidiennes. Un jour qu'elle était montée à l'étage, il avait même eu l'audace d'aller vérifier ses suppositions. Il avait vu la boîte ouverte et pleine de billets. La chance avait été avec lui : à ce moment-là Amélie était auprès de Secret, et ce dernier ne pouvait donc avoir l'œil collé au plancher.

Après avoir jeté un dernier regard à la grande salle vide, Robert contourna la demeure et détala dans le clos en direction de la sente. Il courut jusqu'à la ferme et trouva son père qui mangeait sa soupe, les chiens couchés à ses pieds. Le vieil homme releva la tête et lui demanda d'une voix aigre :

— T'es pas resté à boire tes canons ce soir ? L'Amélie ne te fait plus crédit ?

— Toi, le vieux, occupe-toi de ta soupe !

Le fils alla à son tour se servir en potage, celui que le père préparait comme sa femme autrefois. Il bouillonnait encore dans la marmite posée au bord du fourneau. On y trouvait des morceaux de pommes de terre et de choux écrasés à la fourchette, parfois un bout de lard gras. Le paysan y mit à tremper une tranche entière de pain. Puis il prit place à la table, face à son père. Après avoir avalé une bonne portion de son dîner, il lui demanda soudain :

— Dis donc, le père, pourquoi tu dis toujours que l'Amélie a du courage ?

Le vieux posa sur lui un regard perplexe et bougonna :

— Tu demandes toujours la même chose ; t'es bien curieux à l'égard d'Amélie !

— Je suis curieux parce que tu réponds toujours à côté.

Gaby lui jeta un regard de travers, sembla réfléchir, puis lâcha :

— Parce que je trouve qu'elle en a, du cran ! Tenir seule son auberge n'est pas une affaire facile !

Il porta son bol à sa bouche pour achever de le vider et se sécha les moustaches avec la manche de sa chemise, sans se départir de son air narquois. Puis il jeta au sol quelques miettes que les chiens boudèrent.

— C'est une femme discrète et brave, ajouta-t-il comme s'il se parlait à lui-même.

— Brave ? Encore ? C'est parce qu'elle sympathise avec les terroristes que tu la trouves si brave ? répliqua Robert.

Un long silence s'écoula pendant lequel Gaby ne lâcha pas son fils des yeux. Il se posait deux questions : pouvait-il dire qu'il savait que la veuve apportait sa contribution à la lutte contre l'occupant ? Et pourquoi son fils était-il un vaurien de cet ordre ? Qu'avait-il donc fait, ou pas fait ? Dès que la mère avait été morte, il avait tenté d'élever convenablement son fils, mais celui-ci possédait un caractère qu'il n'avait pas su dominer. C'était finalement lui, Gaby, qui s'était soumis au cours des années ! Quand il s'était aperçu de son erreur, il était trop tard : Robert n'en faisait plus qu'à sa tête. Si le vieux avait quelquefois tenté de le remettre dans le droit chemin, l'autre lui montrait le poing. Gaby était à présent sûr que Robert pouvait passer à l'acte ; il était trop vieux pour se permettre de riposter. Il avait alors décidé de vivre dans une indifférence réciproque, et de garder ses secrets et son amertume au fond de lui.

— Je ne sais pas si elle les soutient, mais si c'était le cas, je la jugerais plus brave encore. Mais pourquoi demandes-tu ça ? Tu le sais, toi, qu'elle les aide ?

À son tour, Robert le considéra, de l'air mauvais qu'il avait depuis longtemps adopté. Il savait combien son père se méfiait de lui, et vice versa. Il lui fallait donc jouer avec prudence ! De toute façon, il connaissait la vérité.

— Je ne sais rien du tout ! J'en connais, des résistants, depuis belle lurette ! Je n'irais pas les dénoncer, mais je ne les trouve pas plus braves que d'autres ! Comme ils viennent à l'auberge, je pensais que l'Amélie était de la partie, c'est tout !

Le vieil homme demeura sans voix. Il songeait à toutes les fois où il avait donné quelques sacs de patates ou des morceaux de porc à Jules Brossier et aux autres responsables de la Résistance. Il agissait à l'insu de son fils depuis que ce dernier avait refusé d'apporter son aide. Quant à la participation d'Amélie, il l'avait apprise par un ami de Chazelle dont le plus grand défaut était de ne pas savoir tenir sa langue. Heureusement, Gaby était un homme de confiance ! Machinalement, le vieillard poussa un soupir – probablement lié au regret de ne pouvoir vouer une semblable confiance à son garçon. Il aurait pu faire durer la conversation – pour une fois qu'ils se parlaient ! –, mais il n'en avait pas envie, et il redoutait qu'elle n'aboutît à une énième querelle. Gaby se leva pour préparer la soupe des chiens. Robert le suivait des yeux. On aurait pu croire qu'il le surveillait, mais en réalité il ne le voyait pas, sa pensée étant absorbée par son plan. Au bout d'un long moment seulement, le fils s'aperçut que le vieil homme était monté se coucher. Il fit de même, dans l'impatience du lendemain.

13

Ce 19 mars, l'hiver était revenu en Valny. Il tombait un gros grésil et il soufflait une forte bise, plus glaciale que celle de janvier. Le mauvais temps garda les gens chez eux. L'après-midi, à l'Auberge du lac, Robert ne rencontra donc guère de clients, hormis deux voyageurs avec lesquels il trinqua. Il but ensuite suffisamment de vin pour être ivre à la nuit. Vers neuf heures du soir, il se trouva seul au bar et réitéra sa demande à la veuve :

— Tu peux me faire une avance pour le labour de ton jardin ? J'en ai besoin.

Elle refusa. Il insista mais elle fut catégorique. Alors, il vit plus rouge que tout le vin qu'il avait ingurgité, et, à cet instant, décida de vendre Amélie Viscomte. Poussé par sa rancœur, il fit encore deux ou trois allusions, mais se rappela à la prudence. Il quitta l'auberge en faisant claquer la porte, et rentra chez lui où il médita toute la nuit. Quand l'aube s'annonça, il s'habilla en silence et se coula dans l'escalier, marchant sur le fond des marches pour éviter tout grincement. Il ne prit pas la peine de boire un café et alla directement dans le cellier enfiler sa grosse canadienne. Le ciel limpide promettait une journée ensoleillée mais il faisait un froid de loup. Dans la cour, le sable emprisonné de givre crissa sous ses pieds et il modéra ses pas. Dès qu'il fut sur la route, il accéléra l'allure. Plus loin, il emprunta le sentier qui coupait en direction de Lieudieu, comptant arriver chez Bernard Chacornac avant le lever du soleil. Il le trouva à peine sorti du lit, mais lorsqu'il lui apprit qu'Amélie cachait un maquisard, son comparse sembla se réveiller complètement.

— Je veux la moitié de la somme que te remettront les miliciens, lança Robert.

L'autre accepta sans hésitation. Ses précédentes trahisons devaient lui avoir suffisamment rapporté pour qu'il se contentât cette fois d'une demi-part – qui n'était tout de même pas négligeable ! Le comparse donna rendez-vous à Robert deux heures plus tard. Il serait accompagné des miliciens et fin prêt pour les conduire chez Amélie Viscomte et son jeune protégé. Robert le quitta et erra dans les bois en attendant l'heure convenue. Il en profita pour étudier son plan en détail. Dès que la veuve et le maquisard seraient emmenés, il prendrait la cassette. Il aurait tout son temps pour fouiller l'auberge, en quête d'un autre magot que la vieille devait cacher. Il emmènerait tout ce qui présenterait de la valeur ! Les minutes s'écoulèrent. Le paysan rejoignit enfin Bernard Chacornac et ses trois sbires. Après avoir fixé la somme à recevoir, Bernard Chacornac s'esquiva, laissant à Robert le soin de les conduire à l'auberge. Il leur indiqua la route, mais, par prudence, il prit un layon parallèle, craignant de croiser quelqu'un en leur compagnie. De là, il pouvait les apercevoir et contrôler leur avancée. Il arriva devant l'auberge en même temps qu'eux. Pendant que les miliciens cognaient de grands coups à la porte, il se glissa vers la fenêtre pour vérifier qu'il n'y avait pas de clients. Voyant la salle vide, il n'hésita pas à se montrer avec les miliciens, en traître qu'il était. S'il croyait avoir songé à tout, il avait hélas oublié qu'après son emprisonnement, l'aubergiste pouvait le dénoncer au village. Ce fut seulement après la fusillade dans la cave qu'il y songea et eut soudain la solution : la tuer, et avec elle, le dernier des miliciens ! L'occasion lui était offerte. Ses crimes accomplis, Robert Laurent rentra chez lui et suivit son plan à la lettre, si bien que quand Gaby revint, il trouva son fils dans l'annexe, en train d'amonceler des fagots. Robert se figea et se tourna vers son père. Feignant de ne pas voir son air bouleversé, il l'apostropha :

— Que fais-tu le temps que je m'échine au bois ?

— C'est chez l'Amélie, bon Dieu, quel carnage ! Bon Dieu, répéta le vieillard en se laissant choir sur un tas de fagots.

— Quoi, chez l'Amélie ? s'empressa de demander Robert. Que s'est-il donc passé ?

— Les miliciens... ils l'ont tuée ! Et ils ont aussi tué le jeune qui se cachait chez elle. Mais elle a eu le temps d'en descendre un. Ah, la pauvre femme !

Gaby ôta sa casquette et essuya de la main

son front blême. Robert s'approcha de lui avec la mine affectée de celui qui n'y comprend rien.

— Explique-toi donc, le père ! Qui est mort dans le lot ?

— Tous ! Ils sont tous morts ! Tant pis pour les miliciens, mais elle, et ce pauvre jeune ! Ah, qui a pu la trahir ? Le salaud !

— C'est une trahison ? demanda trop vivement Robert.

Le père leva sur lui un regard étrange, et beugla :

— Que crois-tu que ce soit ? Ce n'est certainement pas elle qui a été dire aux miliciens qu'elle hébergeait un maquisard !

Il remit sa casquette sur sa tête et laissa passer un instant avant de demander :

— Où étais-tu, toi ?

Aussitôt, Robert désigna le bois sur le sol, et jeta :

— Ben, tu le vois pas ? J'ai taillé et mis en fagots toute la matinée, je viens d'arriver.

— Tu n'as pas entendu les coups de feu ?

— Non, j'ai rien entendu, mais faut dire que j'étais dans la combe de la Faye, c'est bien trop loin !

Il s'assit à côté du père et murmura d'une voix affligée :

— C'est moche pour l'Amélie. Mais, dis-moi, qui est venu là-bas ?

— Ben, le maire, le docteur, la gendarmerie… On était tous sous le choc !

— Et ils ne savent pas qui est le traître ?

— Comment veux-tu qu'ils le sachent ? Il n'a pas laissé son nom, ce salaud ! Tout ça pour quoi ? L'ordure !

À ces mots, Robert Laurent sentit remonter en lui la haine qu'il éprouvait pour son père. Il s'éloigna de Gaby et retourna à son bois. Avant de ramasser les branches, il demanda encore :

— Et que vont-ils faire maintenant ?

— Enterrer tout le monde ! Il faut que je te dise, l'enterrement d'Amélie se fera demain en fin de matinée. Ils ne veulent pas attendre, il y a un cercueil de disponible chez Gaston Vole.

— Et l'auberge, alors ?

— La pauvre veuve n'a pas d'héritier et je ne sais pas ce que l'établissement va devenir.

Le vieux poussa un autre énorme soupir et marcha, le dos voûté, vers la sortie du bâtiment.

Son fils, quant à lui, remit rapidement les fagots en place. Son visage était éclairé par un sourire qui aurait tétanisé son pauvre père s'il avait connu ses horribles méfaits. L'infâme n'éprouvait aucun remords, seulement de la joie à l'idée de la somme qu'il possédait désormais. Certes, il aurait moins souri s'il avait su qu'un monstre avait été témoin de la scène ; certes, il n'aurait pas ressenti un tel contentement s'il avait su que sa propre fin approchait !

14

Secret ouvrit les yeux. Son regard se posa
sur le cahier resté ouvert et il relut les derniers
mots d'Amélie à propos du maquisard : « Je
n'ai pu m'empêcher de comparer ce jeune
homme à Secret. » Il se souvint de ce qu'il
avait éprouvé quand, d'une voix très douce,
elle avait glissé au résistant : « Dormez tranquille, mon petit. » Ce n'était pas vraiment de
la jalousie mais ça y ressemblait. Un sentiment étrange… Une sorte de rancœur, née du
fait que le jeune homme mettait Amélie en
danger, à quoi s'ajoutait de l'envie à l'égard
de sa beauté. Secret avait en effet tout de suite
deviné que le garçon était beau, même s'il
n'avait pu voir que ses cheveux blonds bouclés
et ses larges épaules. Quand Amélie avait si

soigneusement préparé le repas du résistant, la rancœur de son fils avait grandi, et sa curiosité atteint son paroxysme. Lorsque l'aubergiste était à la cave, Secret avait eu envie d'entendre leur conversation, de voir le maquisard, peut-être ! Il était donc descendu – mais au moment où il s'était glissé dans la trappe, sa mère s'apprêtait à remonter. Il s'en était promptement retourné, en tâchant de ne point faire de bruit, mais, quand il avait gravi l'escalier de l'étage, une marche avait grincé. L'avait-elle entendu ? Honteux qu'elle pût deviner sa jalousie, Secret avait, quelques instants après, tenté de réfréner ses sentiments, non sans peine. Sa mère avait apparemment pensé que la présence de l'étranger à l'auberge l'inquiétait. Elle lui avait dit de ne pas s'en faire et l'avait assuré du départ du maquisard. Il avait alors retrouvé sa joie. Pourtant, avant de s'endormir, il s'était encore fait une image de l'inconnu, pourvu de cette beauté dont il s'était si souvent doté dans ses songes. Il imaginait sa mère en train de l'admirer, sans voir son air compatissant quand elle le regardait lui.

Pourquoi n'avait-il pensé qu'au jeune

maquisard ? Pourquoi ne pas s'être soucié de Robert Laurent ? Secret se souvint de la crainte qu'avaient suscitée chez lui les allusions du paysan. Il avait pensé prévenir sa mère mais s'en était abstenu, à cause de ce sot ressentiment. Soudain, tous les souvenirs réveillés par la lecture du cahier s'envolèrent ; dans sa tête retentit le crépitement de la mitraillette. Le garçon reçut en plein cœur un coup brutal, le même que la veille. Une fois encore, il porta la main à sa poitrine et retint un gémissement de douleur. À ce moment précis, les deux voisines se mirent à causer. Le fils d'Amélie roula sur sa couche, desserra les dents, ouvrit les yeux. La nappe rouge dont ils étaient inondés se dilua dans la lumière de la lampe. Il tendit l'oreille. Dans la pièce d'à côté, les persiennes grincèrent sur leurs gonds, mais elles ne rendaient pas leur son habituel.

— Je n'ai pas fermé l'œil, dit l'une des femmes.

— Moi non plus, répondit l'autre.

Secret aurait pourtant juré avoir perçu leurs ronflements ; aucune d'elles n'avait d'ailleurs dit un mot de toute la nuit. Bientôt, les paysannes descendirent, et, par la fente, il les vit se diriger dans la cuisine où tintèrent des bruits de casserole. Quelques minutes plus tard, une odeur de café passa à travers le plancher. Pendant un laps de temps très court, il crut que rien ne s'était passé, mais sa douleur était trop immense et trop présente pour que cette paix relative pût durer. Il perçut des voix au-dehors et le roulement d'une charrette. Des hommes entrèrent, sans doute les époux des deux femmes, puis les croque-morts qui portaient le cercueil en bois ordinaire, sans fioritures. Tout ce beau monde monta et procéda à la mise en bière. L'un des agents des pompes funèbres annonça :

— On doit l'emmener à la chapelle de Chazelle, dans la crypte. On déplacera le corps dans le chœur juste avant les funérailles, à deux heures.

— Le maire a ordonné de fermer l'auberge à clé, des fois où des vandales auraient l'idée de venir piller, dit un autre.

Deux ou trois grognements approbateurs lui répondirent. Ils redescendirent. Secret entendit des bruits et des exclamations dans l'escalier étroit ; les hommes semblaient avoir du mal à faire descendre le cercueil. Cela dura cinq bonnes minutes. Quand ils furent en bas, le fils de la défunte ne songea même pas à poser son œil sur le plancher ; il ne voulait pas la voir quitter la maison. Il ne voulait surtout pas revoir la caisse où elle était allongée ! Il y eut des claquements de portes au rez-de-chaussée, puis on ferma celle de l'entrée à double tour. Le silence retomba à l'intérieur de l'auberge. Dehors résonnaient seulement les voix des hommes qui s'affairaient à positionner le cercueil sur la charrette, suivies du bruit des roues et du crissement du sable dans l'allée. Puis plus aucun bruit. Secret demeura longtemps immobile, confiné dans sa souffrance incroyable. Il crut rêver quand les miaulements du chat Griset lui parvinrent. Ils venaient de très loin. En écoutant plus attentivement, le jeune garçon comprit pourtant que le félin se trouvait à la cuisine, derrière la porte de l'escalier. Il remua alors et désengourdit doucement son corps informe. Avant de sortir par la penderie, il s'empara du cahier. Son regard se posa directement sur le lit de sa mère ; l'oreiller et l'édredon avaient gardé en creux la forme de son corps. Il s'en approcha, effleura l'empreinte du bout des doigts puis déposa le cahier sur le chevet. Le fascicule disparaîtrait avec l'auberge quand il y mettrait le feu une fois sa vengeance accomplie. Après un dernier regard circulaire à la chambre, il se rendit au rez-de-chaussée, l'oreille aux aguets. Mais qui pourrait venir ici à présent ? Secret trouva facilement Griset, le saisit et le caressa. L'animal bomba l'échine un instant, puis s'échappa pour se diriger vers sa gamelle, près du buffet. Elle était vide. Voyant le pichet de lait abandonné sur la table par les deux veilleuses, Secret en versa au chat ; pendant que celui-ci lapait sa ration à grands coups de langue, le fils de l'aubergiste alla dans le cellier chercher de la nourriture, qu'Amélie préparait toujours à l'avance. Il en offrit une bonne portion à l'animal, qui manifestait une grande faim malgré ses deux jours de chasse dans l'annexe.

Secret se mit ensuite à déambuler dans la demeure, plus accablé par le poids de son chagrin que par celui de ses protubérances. Il contemplait et caressait tout, soit du regard soit des mains, en fonction de l'intérêt qu'Amélie avait elle-même porté à telle ou telle partie du mobilier. Il s'attarda devant la cheminée, où le tas de cendres froides avait pris la forme et la couleur du chat. Combien de fois sa mère avait-elle redémarré le feu ! Elle lui avait même donné le plaisir de l'allumer certains matins d'hiver, quand la bise soufflait fort et que le lourd rideau était encore tiré. L'adolescent renifla, aspira sa salive, et alla prendre place aux tables qu'il avait contemplées d'en haut. Se souvenant des instants où l'aubergiste les collait les unes aux autres pour les banquets, il tâta le bois des chaises et des bancs. Puis il leva le regard vers le plafond, cherchant la fente où son œil s'était si souvent posé. Au cœur du bois sombre, on ne pouvait la remarquer. Secret se leva et déambula encore dans toute la salle − sauf derrière le bar où Amélie s'était effondrée. Il alla dans le cellier, évitant la cave où le jeune homme avait lui aussi été surpris par la mort. Il retourna à la cuisine ; Griset montrait son désir de sortir. Il le laissa filer par la fenêtre ; après avoir refermé les carreaux, il demeura un long moment à contempler le clos blanchi par le gel. Il avait dans son champ de vision une bonne partie de l'allée de platanes, le potager, ainsi que l'annexe vers laquelle il vit bondir le chat, sorte de balle grise teintée de bleu. Il pensa qu'il ne le reverrait jamais et une lame s'enfonça un peu plus dans son cœur. Un souvenir resurgit alors. C'était un beau lundi, en mai dernier. Secret avait eu le plaisir de travailler au jardin ; fatigué, il s'était couché dans l'herbe. Le chat était venu sur son ventre et avait pris place entre ses verrues. L'adolescent avait enfoui une main dans son doux pelage, l'autre disparaissant dans les herbes hautes dont il aimait tant les odeurs. Il avait les yeux au ciel. Cet espace, restreint en largeur mais grandiose en hauteur, lui donnait l'illusion d'une liberté extraordinaire. Ce n'était pas la même chose sous le couvert des arbres, comme dans ce passage, sur la route du lac, qui serpentait entre d'immenses sapins ; la lumière entrait difficilement et Secret avait l'impression de suffoquer.

Là, paisible dans son lit de graminées, il s'était mis à contempler les nuages, qui, sous la poussée du vent, prenaient mille formes et offraient à son imaginaire une myriade de figures éphémères. Soudain, dans la nuée, il s'était vu représenté, lui, Secret ! Avec sa tête difforme, son horrible visage, toutes les asymétries de son corps et ses lipomes ! Effaré, il avait refermé ses doigts sur le chat, qui s'était enfui en poussant un miaulement lugubre. Mais Secret n'avait pas détourné le regard de son image que le vent écharpait déjà, lui arrachant par à-coups un œil, une jambe, un bras, une protubérance puis une autre, jusqu'à ce qu'une masse violacée eût rempli le ciel. Au loin, un éclair avait illuminé l'éther, suivi bientôt d'un coup de tonnerre. Immédiatement après, une pluie torrentielle s'était abattue sur le clos. Le fils d'Amélie n'avait pourtant pas bougé d'un pouce. Ce qu'il venait de voir l'avait davantage terrorisé que l'orage, qu'il craignait pourtant ! Serait-il resté là encore longtemps si sa mère n'était pas venue le chercher ? Elle l'avait tendrement consolé, croyant que sa peur était causée par la foudre. Les jours suivants, Secret avait médité sur le phénomène produit par les nuages, le mettant finalement sur le compte du hasard.

L'adolescent émergea de son songe. Dans ce souvenir, il crut voir un signe – celui de sa mort prochaine. Peut-être sa mémoire voulait-elle lui signifier qu'il irait au ciel quand les eaux du lac l'auraient enseveli ? Le jeune garçon promena son regard sur la cuisine. Il finit par fixer le grand tiroir du buffet. Que cherchait-il ? Les douze coups de midi sonnèrent à l'horloge. Les yeux toujours sur le tiroir, Secret pensa que dans deux heures, les cloches sonneraient le glas à l'église de Chazelle. Quelques personnes assisteraient à l'enterrement d'Amélie, puis accompagneraient la dépouille au cimetière. À ce moment-là, il serait seize heures environ, l'heure où tout commencerait !

Le fils de l'aubergiste avança vers le buffet et sortit du tiroir un grand couteau de boucherie dont il caressa la lame avec le pouce. La jugeant bien aiguisée, il déposa le couteau sur la table. Une fois encore, il sécha ses larmes, puis monta dans sa chambre où il dénicha les bandes qu'Amélie avait confectionnées pour maintenir ses tumeurs. Il ne les sentait ainsi plus ballotter dans ses promenades et pouvait marcher avec plus d'aisance et de rapidité. Mais les bandes auraient cette fois un autre usage !

Secret resta un instant indécis : devait-il se rendre dans la chambre de sa mère, dans son alcôve, ou bien rester dans sa propre chambre ? Il choisit finalement d'attendre le moment propice dans sa chambre, parce que c'était l'endroit où sa mère avait été le plus près de lui. Il s'allongea sur le lit et considéra un à un les tableaux accrochés aux murs. Son regard s'arrêta sur celui que la veuve préférait : son portrait. C'était aussi sa toile favorite, parce qu'il la jugeait la plus réussie de toutes. Lorsqu'il la lui avait montrée, elle s'était exclamée : « C'est bien moi, ça me ressemble, oh mon petit, on dirait de vrais cheveux, et la couleur de mes yeux ! » Son ton avait toutefois trahi de la déception. Il avait fini par comprendre qu'elle ne décelait dans ses traits aucune joliesse. Lui pourtant les trouvait beaux ! Il contempla son œuvre. Il avait si bien su la peindre qu'Amélie paraissait être là ; sur le tableau, ses yeux contemplaient Secret comme ceux de la Joconde regardent ses admirateurs. Ne pouvant détacher son regard du sien, il ferma les paupières. Au bout d'un court instant, il entendit la voix de sa tante, surgie du passé.

— Ces grosseurs ne sont pas osseuses, disait-elle. Elles sont constituées de graisse.

— Il aurait pu être opéré si je n'avais pas

caché son existence ! avait lancé la voix d'Amélie.

Berthe avait répliqué que seuls les lipomes de sa jambe et de son bras étaient de cette nature, et qu'elle ne voyait aucune opération possible pour guérir les autres difformités. Secret rouvrit les yeux et se souvint des nombreuses fois où il avait constaté qu'en cas de blessure légère ses tumeurs saignaient très peu. Il en déduisit qu'elles n'étaient pas vascularisées, ou simplement irriguées par de petits vaisseaux. L'ablation des tumeurs était donc possible ! L'opération serait certes difficile, mais plus le jeune garçon y réfléchissait, plus l'intervention lui paraissait indispensable. Pour accomplir sa vengeance, il lui fallait de l'aisance et de la rapidité, et non ces deux lipomes encombrants !

Les heures s'écoulèrent rapidement pendant que l'adolescent étudiait la façon de s'y prendre. Quand la peur le saisissait, il imaginait le déroulement des obsèques de sa mère. Des souvenirs se succédaient, soulevant des émotions qui lui ravissaient ou lui comprimaient le cœur. Quand les quatre coups de l'horloge retentirent, le fils d'Amélie se redressa sur son lit. Ses yeux étaient emplis d'une expression nouvelle, reflet de toute sa haine. À cette heure, celle-ci le possédait. Elle seule allait désormais le guider vers l'assouvissement de sa vengeance. Secret s'empara des bandages et marcha sans lever le nez jusqu'à ce qu'il eût atteint la cuisine. Là, il prépara le nécessaire : une cuvette d'eau, des serviettes, les bandes, des épingles de sûreté…

Il se dévêtit presque entièrement, insensible au froid qui régnait dans la pièce, puis s'assit près de la table. Il demeura un instant immobile, à écouter les bourdonnements qui avaient soudain empli son crâne. Il fit la sourde oreille, saisit le couteau et se pencha au-dessus de sa jambe gauche. Il respira un bon coup et enfonça la lame au bord du lipome. Il ne ressentit tout d'abord qu'une douleur minime ; peu de sang coula. Mais Secret se rendit bientôt compte que l'incision n'était pas assez profonde pour l'exérèse de la tumeur. Il avait songé à l'extraire comme une orange de sa pelure, mais la chose se révélait impossible. Il devait donc entamer plus profondément son pourtour et détacher ensuite le lipome en faisant suivre la peau. Il trembla

213

et crut perdre son courage, mais, en un clin d'œil, il enfouit la lame dans sa jambe, tirant la grosseur du côté opposé. Bien que le sang jaillît, il continua jusqu'à atteindre la partie basse de la tumeur. Là, il abandonna le couteau dans sa jambe et saisit un linge pour essuyer tour à tour le sang, la sueur à son front et la salive à sa bouche. La douleur le fit vaciller à deux reprises mais il serra les mâchoires et reprit l'opération. Quand il eut terminé de découper le pourtour, la grosseur adhérait encore à la chair ; il glissa alors la lame sous la protubérance et la scia en poussant des gémissements. Les minutes semblaient bien longues. Depuis combien de temps s'affairait-il ? Il faillit bien tout arrêter, lorsque l'amas immonde tomba enfin sur le sol.

Il avait réussi – mais au prix de quelle persévérance et de quelle souffrance ! L'adolescent regarda sa jambe et la plaie béante qui se remplissait de sang. Il l'épongea et aperçut une grosse veine à fleur de chair. Il avait bien failli la rompre ! Il décida donc de redoubler de prudence pour la seconde ablation, car une erreur de cette sorte pouvait bien lui être fatale ! Il lava son linge dans la cuvette, nettoya de nouveau la plaie, enroula la bande en prenant soin de la serrer afin de comprimer les vaisseaux coupés, puis la fixa avec une épingle de sûreté. Il se redressa et eut un autre éblouissement. À chacun de ses halètements, son haleine dégageait une fumée blanche dans l'air glacé. Il transpirait pourtant, et les frissons qu'il réprimait découlaient de la seconde épreuve, qu'il supposait plus redoutable encore. Arriverait-il à opérer d'une seule main, de surcroît celle qui était la moins valide ? Mais ce n'était plus le moment de fléchir ! Le garçon se reprit et, dédaignant sa douleur, considéra la masse gluante qui gisait au sol, couverte de peau et maculée de sang. Sa peau, son sang ! Une fois encore, il se passa les mains sur le visage puis le tapota avec un linge propre imbibé d'eau froide.

Il s'attaqua au deuxième acte. Ainsi qu'il l'avait prévu, il avait du mal à tenir le couteau entre ses doigts courts et gourds, et à suivre avec la lame le pourtour du lipome de sa main gauche. Il batailla un long moment pour le couper sans dérailler. Comme il n'y parvenait pas, il tailla de manière épouvantable dans son bras, en tâchant toutefois de ne pas entamer trop profondément la chair. Qu'importait qu'un peu de tissu adipeux subsistât ! La douleur lui tira bientôt d'horribles grognements et le porta maintes fois au bord de l'évanouissement – dans lequel il s'interdisait de sombrer. Plus il manœuvrait le couteau, plus sa volonté se raffermissait. Mais quelle hâte d'en finir ! Geignant, pleurant, suant et salivant, il donnait, avec une force inouïe, des coups de lame dans la protubérance. Chacun d'eux produisait un bruit semblable à celui de la lame d'un boucher découpant ses tranches dans un gros morceau de viande fraîche. Après de longues minutes d'acharnement, la tumeur tomba au sol, non loin de la première. Secret s'adossa à sa chaise et respira bruyamment, de manière à faire fuir les points blancs qui voltigeaient devant ses yeux. Il jeta le couteau par terre et considéra son bras. Les incisions n'étaient pas belles à voir mais l'excision semblait assez proche de ce qu'il avait prévu, malgré un restant de tissu graisseux. Cette fois, aucune veine importante n'était apparente. L'adolescent épongea le tout, coinça l'extrémité du bandage entre son bras et son flanc et l'enroula tant bien que mal. Il ajouta une deuxième bande afin de comprimer convenablement les vaisseaux, fixa l'épingle et examina de nouveau son bras, qu'il trouva très mince. Il poussa un gros soupir.

C'en était fini ! Dans une sorte de soulagement, il demeura immobile sur la chaise, et oublieux jusqu'à ce que le froid vînt l'envelopper.

Il s'habilla, étonné de la légèreté et de l'aisance avec lesquelles il pouvait bouger ses membres. Passant outre le mal, il effectua de larges mouvements. Il était toutefois trop tard pour se réjouir de cette mobilité nouvelle : l'amputation avait en effet été accomplie dans le seul but de mener à bien son dessein. Si Robert Laurent venait à le surprendre et à se défendre, il serait désormais assez leste pour l'abattre ! Les six coups de l'horloge résonnèrent dans la salle à côté. Secret s'approcha de la fenêtre et regarda le ciel déjà noyé par l'obscurité. Il calcula le temps dont il aurait besoin pour atteindre la ferme des Laurent : sans ses tumeurs, un quart d'heure lui suffirait à coup sûr, mais il préférait attendre sur place le moment propice. Il vérifia une dernière fois ses bandes. Elles étaient déjà imbibées de sang, mais il pressentait que l'hémorragie cesserait bientôt. La douleur, quant à elle, devenait cuisante, tant et si bien qu'il eut une pensée pour sa tante Berthe : elle aurait préparé quelque onguent apaisant. Hélas, pour lors, son unique remède se trouvait dans sa tâche ! Le jeune garçon s'approcha du mur et sortit d'une niche secrète, taillée à même la pierre, le second jeu de clés qu'Amélie y avait toujours rangé. Il alla ramasser le couteau par terre et en essuya le sang sur un linge. En se dirigeant vers la porte, il désira subitement se regarder dans un miroir, maintenant qu'il était délivré de ses lipomes. Mais, dans sa mémoire, resurgit le reflet qu'il avait un jour contemplé en cachette dans la glace de sa mère. Il ressentit les émotions qui l'avaient alors déterminé à ne plus jamais s'arrêter devant un miroir – hormis les eaux du lac ou de la fontaine, dont l'onde transmuait ses difformités. Il se ravisa. Qu'importait maintenant qu'il fût débarrassé de ces deux lipomes ! Leur ablation ne lui servait qu'à mener à bien sa vengeance.

Dans le cellier, Secret endossa le caban

confectionné par Amélie ; la manche droite se révéla trop large. Le fils de la défunte traversa la grande salle, enfonça la clé dans la serrure de la porte et la fit tourner lentement. Il alla ensuite la remettre dans le tiroir, car il n'avait pas de poche et ne voulait pas être embarrassé. Par ailleurs, personne n'allait revenir à l'auberge ! Dès qu'il eut ouvert la porte, un vent glacé lui souffla à la figure. Il inspecta le clos avant de franchir le seuil. L'endroit était désert, seulement habité d'une végétation engourdie par le froid. Le grésil avait cessé de tomber et la fine pellicule blanche qu'il avait déposée la veille sur le sol s'était désintégrée sous l'effet de la bise. Pas un bruit, hormis le frémissement des branches et le murmure incessant de la fontaine. Le jeune garçon sortit et contourna l'auberge en empruntant l'allée bordée de platanes dépouillés. Il dépassa le potager et l'annexe, frôlant les murs dont il s'éloigna pour traverser le grand patio qui s'étendait jusqu'à la sente menant chez les Laurent. Sous le couvert des vieux buis, il s'arrêta un instant pour reprendre haleine. Jamais il n'avait fait d'aussi grandes enjambées, et bien qu'il n'eût pas à supporter le poids de ses lipomes, son cœur battait dans sa poitrine comme quand ils l'épuisaient. Il n'avait par ailleurs pas dormi de la nuit ! La douleur se faisait lancinante, même si le froid semblait commencer à exercer un effet anes-thésiant.

Secret contempla un instant son abri, puis regarda au nord. Là, la sente serpentait entre les arbres sur un demi-kilomètre au moins ; il n'avait jamais mis le pied à cet endroit. Son unique échappée l'avait mené au lac, situé à une égale distance, mais à l'ouest. Serrant le couteau dans sa main, il songea qu'il arrive-rait chez les Laurent à l'heure de la traite. Il se réjouit d'être parti en avance : il aurait ainsi le temps de visualiser les lieux, principale-ment l'étable, où le paysan devait s'affairer sur le pis des vaches. Certes, il y aurait le père, Gaby, mais il compta sur le fait que l'un ou l'autre des deux hommes s'absenterait pour porter les bidons de lait dans l'abreuvoir, ainsi que le lui avait maintes fois expliqué sa mère. À ce moment-là, il agirait !

Le fils d'Amélie sortit du couvert des buis et marcha. Il boitillait toujours à cause de la dissymétrie de ses pieds, mais son allure était beaucoup plus rapide qu'à l'ordinaire. Son regard était fixé droit devant lui ; de temps à autre, il dérivait cependant à droite et à gauche, pour vérifier que nul ne risquait de survenir. Mais qui donc aurait pu se promener à cette heure et par ce temps ? Il faisait presque nuit et un froid de canard. « Et s'il y avait quelqu'un chez les Laurent ? » pensat-il. Soudain, il se souvint de leurs chiens et s'affola. Mon Dieu, pourquoi n'y avait-il pas pensé ? À coup sûr, les animaux allaient le flairer, aboyer et peut-être même lui sauter dessus ! Secret s'arrêta et demeura un moment immobile, comme pétrifié par le souffle glacé de la bise dont les assauts se renforçaient. Comment échapper à la vigilance des chiens ? La chose était impossible ! À moins que la chance ne fût avec lui et que les Laurent ne les amènent pas avec eux à l'étable pendant la traite. De toute façon, il ne pouvait rebrousser chemin ni ajourner son plan.

Comptant sur sa bonne fortune, il reprit sa marche ; à mi-distance, il remarqua une bâtisse dressée dans l'obscurité en contrebas du layon – sans doute la grange appartenant aux Laurent. Amélie l'avait souvent évoquée.

Quatre cents mètres plus loin, le jeune garçon aperçut la ferme, s'en approcha à pas lents, étudia sa position et scruta les alentours. La nuit était maintenant tombée, mais la lune ronde illuminait les deux bâtiments, distants d'une soixantaine de mètres. Une cour les séparait. La construction en amont était une annexe où les Laurent rangeaient matériel et outillage. Quant à l'autre, elle comprenait l'habitation et l'étable. Secret ne pouvait s'y tromper, car la grande porte laissait passer un flot de lumière.

Le vengeur s'avança dans la cour avec toutes les précautions dont il avait appris à user au fil des ans. Malgré ses infirmités, il se faufilait à la manière d'un serpent dans son nid, sans jamais faire de bruit. Il se demanda si les chiens étaient à l'étable avec leurs maîtres. À tout instant, il s'attendait à les voir surgir. Quand il parvint à deux mètres de la ferme, il longea la montée de grange, hors du faisceau de lumière qui s'allongeait jusqu'au fond de la cour, où mourait le layon. À un mètre de distance de l'étable, il décela, sous la montée de grange, une porte grande ouverte sur un local. À cause de l'obscurité, il ne put distinguer tous les outils qui y étaient entre-posés. Il s'enfonça dans une encoignure et regarda autour de lui, l'oreille dressée, rete-nant sa respiration. Face à lui, près du second bâtiment, il distingua une fontaine et, quelques mètres plus bas, l'abreuvoir, où les paysans mettaient sans doute leurs bidons de lait. En contrebas, une rangée d'arbres, dont les branches remuaient devant la lune, rejoignait la sente au fond de la cour.

La vue de Secret se brouilla et il ferma les yeux quelques secondes. Écrasé par la fatigue et par son émotion trop vive, il attendit encore un peu avant de se glisser vers la porte. Soudain, il perçut un bruit métallique : Robert Laurent déposait un seau de lait au sol. Pour la première fois, une personne autre qu'Amélie lui faisait face ! Il fut surpris par la taille de l'homme, bien supérieure à celle de sa mère. Bien que le fils Laurent atteignît tout juste le mètre quatre-vingts, il le jugea immense. Cependant, l'effet de surprise ne dura pas : Secret était trop accaparé par son dessein. Il ne sursauta pas non plus quand il distingua le visage de Robert Laurent, qui se tournait vers le fond de l'étable pour crier :

— Tu me laisseras finir ! Va donc préparer la soupe !

— J'en termine avec La Marquise et j'y vais, répondit la voix de Gaby.

Robert se retourna et Secret battit en retraite derrière le mur. Sur l'écran de la nuit, il revit le visage qu'il avait eu le temps de graver dans sa mémoire. Il le reconnaîtrait entre mille, comme s'il en avait longuement étudié les traits ! Le silence était retombé dans l'étable. Le fils d'Amélie s'avança de nouveau derrière le vantail à demi fermé et épia le paysan. Ce dernier avait déjà pris place sous une autre vache. Assis sur son tabouret, il lui nettoyait le pis avec un chiffon. Puis il commença à tirer sur les mamelles après avoir placé un seau vide entre ses jambes. Bien qu'il fût dans l'ombre de la bête, Secret percevait de profil la silhouette de Robert Laurent. Une chaleur se répandit en lui, son sang circula plus vite, les battements de son cœur redoublèrent et les douleurs dans ses membres se réveillèrent. Ainsi se manifestait sa haine ! Mais tout ce feu, il devait le maîtriser en attendant le moment opportun. Le père sortirait bientôt – dans quelques minutes, peut-être même dans quelques secondes… Par chance, les chiens étaient absents, sans doute enfermés là-haut dans la cuisine. Le jeune garçon serra le manche du couteau entre ses doigts, recula dans l'ombre et patienta. Soudain, il y eut un ébrouement, un cliquètement, et le clapotement du lait qu'on versait dans le bidon. Puis la voix du père :

— Tu finis, alors ?

— Eh oui ! Au moins, tu cesseras peut-être de chanter que je ne suis qu'un fainéant !

— Si t'en es plus un, ça date seulement d'aujourd'hui ! répliqua le père.

— Parce que toi, le vieux, t'es un as du boulot, peut-être ? Tu peux même plus bouger ta carcasse !

Un court silence se fit avant que Gaby ne répondît :

— Cause toujours, tu m'intéresses !

À ce moment-là, Secret se tint prêt car le père Laurent allait sortir dans quelques secondes. Il perçut encore deux ou trois bruits légers, puis des pas dans sa direction. Il s'adossa au mur, dans le noir presque total. Le vieil homme passa la porte de l'étable, à deux mètres de lui seulement. Il marcha vers l'abreuvoir, le bidon de lait à la main. Secret le reconnut, car Gaby ne portait pas de casquette. De son réduit, le fils d'Amélie avait appris à connaître sa couronne de cheveux blancs. Sa silhouette était semblable à celle du fils. Le père Laurent déposa le bidon dans l'abreuvoir et remonta dans l'ombre vers la partie habitée de la demeure. Secret craignit qu'il ne fît sortir ses chiens, mais la porte se referma et la fenêtre de la cuisine s'éclaira. Le jeune garçon referma plus fortement les doigts sur le manche du couteau avant de sortir de l'angle obscur.

Dans l'étable planait une odeur mêlée de paille, de lait et du cuir des bêtes. Il faisait bon, l'air était réchauffé par l'haleine du troupeau. Robert Laurent, accroupi sous la vache, pensif, ne put voir rentrer Secret. Il ne put le voir s'avancer jusqu'à lui ni l'entendre à cause du chuintement du lait qui giclait des mamelles. Pourtant, lorsque le monstre fut à un mètre de lui, il releva la tête, averti peut-être par son instinct, par quelque frôlement inhabituel ou par son ombre. Ce qu'il vit lui arracha une expression d'horreur. « Qu'est-ce que… ? », balbutia-t-il avant que sa voix ne s'étranglât, de frayeur sans doute. Bien sûr, il se redressa ; bien sûr, il fit un mouvement ! Le seau se renversa, la vache fit un pas de côté en beuglant. Le fils Laurent n'eut pas le temps d'éviter le couteau que la créature lui planta dans la poitrine. Il ouvrit la bouche aussi grand que les yeux, mais aucun cri ne s'en échappa. La lame lui perça une deuxième fois le cœur. À peine en fut-elle sortie qu'il tomba à terre, entre la bête qu'il trayait et sa voisine. Celle-ci cogna du sabot dans la jambe entaillée de Secret, qui ne put retenir un grognement de douleur. Son arme tomba dans la litière. Plié en deux, sa lourde tête penchée sur Robert, il regarda ce visage qu'il avait pu contempler quand il avait planté la lame dans le torse du paysan. Il n'était pas beau, et le fils d'Amélie eut ainsi un aperçu de la disgrâce humaine, de celle qui existe même sans malformations. Toute la scène s'était déroulée en un clin d'œil ; il ne s'était peut-être pas écoulé plus de cinq secondes quand Secret se redressa pour s'enfuir de l'étable. Mais derrière lui, il entendit brusquement la voix du père :

— Qu'est-ce qui se passe ?

Le monstre avait pour seule issue la porte de

l'étable, que le vieil homme venait juste de franchir. Il s'élança alors et se mit à courir, plus vite qu'il ne l'avait appris durant ses échappées secrètes, quand il était encombré de ses tumeurs. Les bras en avant, il bouscula le vieillard qui poussa un cri. Il franchit le seuil de la grange et traversa la cour. Lorsqu'il atteignit la sente, il se croyait poursuivi, mais quand il se retourna, il n'entendit rien et vit, déjà loin derrière lui, le halo de lumière qui sortait de l'étable. Il buta soudain contre un obstacle et tomba. Une douleur fulgurante le tint quelques secondes recroquevillé au sol. Un lourd silence l'entourait. Par peur d'être rattrapé, il se releva pourtant et boitilla pendant trois cents mètres environ. Haletant, il s'immobilisa et écouta la nuit. Rien ! Il regarda en direction de la ferme, complètement engloutie dans l'obscurité. Il était loin maintenant. Le vieux Laurent ne l'avait donc pas suivi ! Quant aux chiens, il ne les avait sans doute pas laissés sortir de la maison à cause du mauvais temps. S'il les libérait maintenant, les bêtes ne courraient même pas sur ses traces, puisqu'elles n'avaient pas humé son odeur. En outre, il s'agissait de chiens de berger, et non de garde.

Quand il eut repris haleine, Secret s'aperçut qu'il se trouvait devant la grange abandonnée qu'il avait croisée à l'aller. Pendant sa course effrénée, il avait quitté la sente sans s'en rendre compte. Alors, parce qu'il était trop éreinté pour faire un pas de plus, il entra dans la bâtisse et se laissa choir sur la paille, tout près de la porte grande ouverte. Il voulait reprendre un peu de forces avant de commencer le second acte : mettre le feu à l'auberge et gagner le lac. Il croyait disposer d'assez de temps pour ce faire. Les yeux rivés sur les nues, il guetta encore les bruits. Il tâta ses bandages humides et grimaça sous l'intensité de la douleur, qui s'était accrue. Il oublia toutefois sa souffrance tandis que les images de son crime défilaient dans sa tête. Ainsi, il était parvenu à son but : Robert Laurent avait payé ! Le fils d'Amélie n'éprouvait pas davantage de remords que de joie, sentiment qu'il avait espéré ressentir avant son méfait. Au contraire ! Sa douleur morale refaisait surface, surpassant ses souffrances physiques. Sa vengeance ne l'apaisait pas. Elle ne l'avait guidé qu'un instant. Secret tenta de se relever pour parvenir le plus rapidement possible au terme de son dessein, mais sa faiblesse empêcha tout mouvement. Il était contraint au repos, au moins le temps de puiser dans ses dernières forces. Il ferma les yeux, s'endormit et fit un songe.

15

« C'est un trou de verdure où chante une rivière,
Accrochant follement aux herbes des haillons
D'argent ; où le soleil, de la montagne fière,
Luit : c'est un petit val qui mousse de rayons.

Un soldat jeune, bouche ouverte, tête nue,
Et la nuque baignant dans le frais cresson bleu,
Dort ; il est étendu dans l'herbe, sous la nue,
Pâle dans son lit vert où la lumière pleut.

Les pieds dans les glaïeuls, il dort. Souriant comme
Sourirait un enfant malade, il fait un somme :
Nature, berce-le chaudement : il a froid. »

Depuis que Secret est allongé dans l'herbe,
sa mère à ses côtés, il ne cesse de se répéter
ces vers de Rimbaud, qu'il connaît par cœur
à force de les avoir lus et relus. Avant

d'atteindre le lac, l'adolescent a voulu quitter la sente. Amélie a rechigné mais il a fait la forte tête : il avait trop envie de cette halte dans le val, trop envie de goûter cet instant ! La veuve a accepté parce que pour ses dix-huit ans, elle dit qu'elle veut lui faire plaisir. Il a donc profité de l'occasion. Ils sont entrés dans le vallon qui mousse de rayons, comme dans le poème. Ils ont longé la Donge, qui accroche follement aux herbes ses haillons d'argent. Ils sont seuls et ne redoutent aucune présence : tous les gens sont aujourd'hui à la grande foire de Lieudieu – même les Allemands. Et puis qu'importe ! Si quelqu'un venait, Amélie se dirigerait vers lui ; Secret se cacherait dans les roseaux et les glaïeuls. Ils se sont couchés là, au milieu de ce trou de verdure où la lumière pleut. Devant eux, la montagne fière luit de soleil. La nuque dans le frais cresson bleu, sous la nue, Secret regarde l'azur, sourit comme sourirait un enfant malade et se laisse bercer par la nature. Il n'a pas froid, lui, il est seulement triste et heureux à la fois. Triste, parce que cet instant ne se renouvellera pas de sitôt. Heureux, parce qu'il a le privilège de le vivre. Il l'attendait ! Il en gardera le souvenir jusqu'à son dernier souffle, quand les eaux du lac se refermeront sur lui.

Pourtant, sa tristesse le suit depuis quelques jours, le quitte et le reprend. Il ne sait pas vraiment de quoi elle découle. Peut-être de ceci : l'autre jour qu'il était dans le clos, pour la première fois il a entendu quelqu'un qui passait dans la sente du lac, juste derrière la muraille. C'était un homme, il sifflotait. Saisi par la curiosité, le fils d'Amélie a regardé par la brèche. Pour la première fois, il allait voir un homme tout entier, et sans être allongé sur le plancher ! Mais le temps de coller son œil sur la fissure, l'individu était déjà passé. Secret est resté là, contre le mur, à écouter s'éloigner son sifflet, très triste. Par la suite, jamais une telle occasion ne s'est représentée ! Le jeune garçon a peint beaucoup de visages sur ses toiles, mais il n'en a jamais vu un vrai de près, sauf ceux de sa mère, de tante Berthe, et des vieux clichés ou images. Depuis ce jour, sa tristesse refait surface à tout moment. Là, allongé sur son lit d'herbe, elle coule dans son bonheur comme la rivière au milieu du pré. Les yeux au ciel, il songe à Rimbaud, mort trop tôt. Là-haut, la brise pousse les nuages devant le soleil et fait courir leurs ombres sur la montagne. Ils noircissent et s'unissent, ombrageant maintenant tout le val. Secret pressent l'orage et prend peur. Il n'en a pas encore essuyé lors de ses rares échappées. Les jours d'orage, il se trouvait toujours à l'intérieur de l'auberge ; il a seulement vu les éclairs derrière les persiennes de sa chambre, seulement entendu les grondements du tonnerre derrière les murs. Seul ou serré contre sa mère, il tendait l'oreille et ouvrait les yeux.

Il tourne les yeux vers Amélie. Elle semble dormir profondément, la tête sur une motte. Il lui touche le bras, elle s'éveille. Il lui montre le ciel mauve. Elle se redresse d'un coup et s'écrie : « Rentrons vite, il va faire de l'orage. » Secret ne se fait pas prier ! Il court derrière elle aussi vite que ses handicaps le lui permettent. Soudain, l'éclair met le feu à la montagne, le tonnerre éclate au sommet, roule jusqu'aux bords du lac. Les premières gouttes de pluie s'abattent sur le val. L'orage court plus vite qu'eux et les rattrape. L'adolescent tremble et transpire. Ces roulements de canon lui brisent les tympans. Il s'arrête et se bouche les oreilles en regardant avec effroi le spectacle des arbres qui ploient sous le vent et les trombes d'eau. Amélie lui prend la main et le tire en avant. Elle a peur de la foudre, elle aussi, et elle crie : « Plus vite, allons, plus vite ! » Ah, combien il voudrait avoir des ailes et fendre l'air comme les oiseaux qu'il a si souvent contemplés. Ses tumeurs ballottent, mal maintenues par les bandages desserrés. Sa tête paraît plus lourde que de coutume, même rentrée dans son cou. Parce qu'il garde les yeux trop souvent fermés, il trébuche, se laisse guider avec difficulté par Amélie et grogne de frayeur. « N'aie pas peur, nous ne risquons rien », dit-elle, mais il sait que ses paroles ne sont là que pour le rassurer, car sous la haie de peupliers, au loin, la foudre risque de les frapper. Poussés par un instinct de survie plus fort que leur terreur, ils la franchissent. Une fois à l'intérieur de l'auberge, lorsqu'ils sont séchés et calmés, la veuve souffle : « Que je suis bête de craindre l'orage comme ça ; c'est bien rare que la foudre tombe sur quelqu'un ! Oh, mon petit, là, c'est fini, n'aie plus peur. » Elle prend contre son sein ce monstre de dix-huit ans, et le berce.

Il se calme, et l'orage aussi. Mais le soir

dans son lit, il y repense, et songe au dormeur du val de Rimbaud. Sa propre mort le hante, non parce qu'il la redoute mais parce qu'il sait que sa mère aura trépassé quand elle viendra. C'est sa mort à elle qu'il appréhende. Il perdra tous ses repères. Pourra-t-il marcher vers le lac, le moment venu, si Amélie n'est pas là pour le guider ? Le tonnerre gronde encore dans sa tête, mais, soudain, un rayon de soleil passe devant ses yeux, apportant avec lui toute la clairvoyance dont il a besoin. Quel sot ! Quand le moment sera venu, il n'aura qu'une envie : mourir ! Ce désir le guidera vers le lac, vers elle. Secret voit alors « Il » au bord des eaux glauques. Sans peur ni chagrin. Il sait qu'il n'aura ni mal ni froid. Les pleurs qui inondent son visage immonde sont des larmes de bonheur.

Gaby Laurent fixait son fils, sans comprendre qu'il fût là, étendu mort sur le sol de l'étable, sans prendre conscience non plus que quelqu'un venait de le renverser en fuyant. Le vieil homme s'était bien relevé, avait couru jusqu'à la porte de l'étable, mais l'individu s'était volatilisé dans l'obscurité au fond de la

cour. Le père Laurent avait alors fait demi-tour pour revenir vers Robert et voir ce qui s'était passé. Avait-il rêvé, était-il encore en plein songe ? Il se redressa enfin et regarda derrière lui, essayant de se remémorer la scène. Il se tourna de nouveau vers son garçon et la réalité lui tomba dessus toute nue. Robert gisait sur la paille, plus mort que mort ! Là, la lame du couteau luisait, rougie. Le fuyard était forcément celui qui avait enfoncé l'arme dans le cœur de son fils. Mais qui était-ce ? Il courait d'une façon étrange, comme s'il avait été handicapé des jambes, les mains tendues devant lui, en émettant des grognements. Bien qu'il n'en eût guère eu le temps, que la surprise fût trop grande et la lumière trop faible, Gaby avait aperçu une partie de sa tête ; celle-ci lui avait semblé énorme. Son fils venait d'être assassiné, trop déboussolé, il n'avait pas les facultés suffisantes pour s'interroger sur l'aspect du criminel, même s'il lui avait paru anormal. Par ailleurs, cette bizarrerie pouvait être mise sur le compte de son imagination ou du contexte dramatique. « Nom de Dieu », répéta-t-il en son for intérieur.

Gaby se prit la tête dans les mains : qui était

le meurtrier et pourquoi avait-il tué Robert ? Le vieil homme considéra le couteau abandonné sur la paille, avec sa longue lame maculée de sang et son manche de bois clair. C'était un ustensile non fermant, fait pour découper ou dépecer, de ceux qu'on voit dans tous les foyers. Soudain, il eut devant les yeux le cadavre d'Amélie Viscomte et il se demanda s'il ne pouvait pas y avoir un lien entre son meurtre et celui de son fils. Sa mémoire le ramena aussitôt à cette conversation qu'il avait eue avec Robert au sujet d'une implication de la veuve dans la Résistance. Il avait eu l'impression que Robert la soupçonnait, et cela avait éveillé son attention. Lorsque les autres avaient évoqué la délation, il avait également pensé que Robert pouvait être le traître. Il avait ensuite vivement chassé ce mauvais doute, car le jour de la tuerie, son fils avait passé toute la matinée à confectionner des fagots. Et bien qu'il fût mauvais garçon, il n'était pas capable d'un méfait aussi grave et aussi honteux.

Or, à cet instant, ses doutes revenaient. Tout portait à croire que ce crime était l'aboutissement d'une vengeance : pourquoi pas pour châtier la dénonciation d'Amélie Viscomte ? Quelqu'un savait que Robert était le traître et l'avait fait payer ! Mais qui ? Le vieil homme appuya ses paumes sur ses yeux et poussa un gémissement. Il ne voulait pas croire à cette hypothèse. Pourtant, tous les éléments en sa possession rendaient l'idée des plus plausibles ! Ces deux meurtres si proches l'un de l'autre étaient probablement liés. Ah ! Qu'allait-il faire ? Gaby demeura un long moment à la même place, immobile et effaré, sans savoir quelle était la marche à suivre, jusqu'à ce que l'idée lui vînt d'aller à la gendarmerie de Lieudieu prévenir le brigadier-chef Jean-Jacques Villard. Il fallait bien qu'il déclarât le meurtre de son fils ! S'il songea aussi à partir à la poursuite du criminel, le vieillard se ravisa bien vite, car le bandit avait sans doute depuis longtemps regagné ses pénates. Revenant à son premier objectif, il s'élança hors de l'étable et monta à la cuisine enfiler une canadienne et éteindre la lumière. Là, il se souvint de la raison qui l'avait poussé à retourner dans l'étable : prendre un bol de lait pour allonger la soupe des chiens. Dans la pénombre, il avait vu l'assassin qui fonçait sur lui. C'est seulement une fois ce dernier enfui qu'il avait aperçu Robert étendu au pied des vaches.

Gaby referma la porte sur les deux chiens endormis devant l'âtre et courut en direction de Lieudieu. Parvenu à hauteur de l'Auberge du lac, il emprunta le raccourci habituel ; cela lui permettait d'atteindre la bourgade en quinze minutes au lieu de trente. En route, il ne songea plus à la conjecture qu'il avait échafaudée, mais à Robert. Sa disparition l'éprouvait durement mais il était surtout affecté par la manière dont elle s'était produite. Son fils avait-il souffert ? Sans ralentir la course, le vieil homme se mit à pleurer, et songea à leur mésentente. Les bons souvenirs se mêlèrent aux mauvais et il revit Robert à tous les âges. Il entendait tour à tour son rire d'enfant et ses répliques grasses de mauvais homme. Pour sûr, il avait bien mal tourné ! Mais Gaby s'en attribuait la faute, et les remords lui écrasaient le cœur autant que son chagrin. À deux ou trois reprises, il trébucha. Il tenta de reporter son attention sur l'infime portion du sentier qu'éclairait la lampe torche. Bien qu'il connût le chemin comme sa poche, il ne pouvait éviter les nombreux nids-de-poules que les dernières intempéries avaient creusés. Plusieurs fois aussi, il s'arrêta, croyant entendre des bruits furtifs derrière lui. Son imagination le ramenait à cet individu dont l'aspect lui avait paru si étrange. Et s'il était là, tapi dans l'ombre, et qu'il lui sautât dessus ? pensait-il. Mais après réflexion, sa peur le quitta. Si le criminel lui avait voulu du mal, il l'aurait en effet lui aussi attaqué dans l'étable.

Le pauvre homme finit par arriver devant la gendarmerie, une grande bâtisse où logeaient le brigadier-chef Jean-Jacques Villard et ses hommes. Au rez-de-chaussée, une fenêtre éclairée indiqua à Gaby que le gendarme était chez lui. Il traversa la cour à longues enjambées et cogna à grands coups à la porte. Une minute plus tard, elle s'ouvrit sur Villard en personne, qui reconnut immédiatement le paysan. Voyant sa figure si effarée, il demanda :

— Que vous arrive-t-il, père Laurent ?

Gaby s'appuya contre le chambranle de la porte et reprit un peu son souffle :

— C'est mon fils… le Robert… Quelqu'un vient de le tuer dans mon étable !

À peine eut-il fini de parler qu'il subit le contrecoup du choc et vacilla. Villard s'avança pour le soutenir.

— Que dites-vous ? s'écria-t-il.

— Mon fils, je vous dis ! Il vient d'être assassiné ! Mon Dieu ! Je suis revenu à l'étable trop tard et…

Une femme s'était approchée. Ayant entendu les paroles de Laurent, elle murmura :

— Fais-le donc entrer, ce pauvre homme !

Jean-Jacques Villard passa alors une main sous le bras de Gaby et l'entraîna à l'intérieur du logis.

— Vous allez tout me raconter maintenant, père Laurent, dit-il d'une voix émue. Venez.

Dans la cuisine, tandis que sa femme allait préparer un cordial, le brigadier-chef fit asseoir le vieillard. Il prit place face à lui, de l'autre côté de la table. Sa femme revint et conseilla à Gaby de boire d'abord une goulée du remède. Il obéit parce qu'il avait la bouche sèche, mais ne put boire le verre en entier. Il le posa sur la table et leva les yeux sur le gendarme qui attendait son récit. Comme le père Laurent demeurait muet, ce dernier lança :

— Je vous écoute.

Gaby détourna son regard dans l'angle de la cuisine, et expliqua :

— Je venais de quitter l'étable quand je me suis aperçu que j'avais oublié un peu de lait pour mes chiens. Mon fils terminait la traite. Alors je m'en suis retourné, et là, j'ai vu quelqu'un dans l'ombre… J'ai pas eu le temps de demander qui c'était, qu'il a foncé vers moi et m'a fait tomber. Quand je me suis relevé, j'ai vu le Robert étendu au sol près des bêtes. Il était mort ! Puis j'ai vu le couteau dans la paille.

Il s'interrompit et enfouit sa tête dans ses mains. Le gendarme, sa femme apitoyée non loin de lui, laissa couler quelques instants avant de demander :

— Avez-vous vu l'homme qui s'enfuyait ?

— Non, je ne pouvais pas, car il a couru vers moi les mains devant lui… Mais je l'ai vu s'enfuir dans ma cour et il m'a semblé qu'il avait une tête horrible, et il poussait des grognements horribles eux aussi.

Villard parut surpris.

— Une tête horrible ? Vous me dites pourtant que vous n'avez pas pu le voir !

Gaby essaya de se remémorer l'instant.

— Ouais… Mais j'en ai vu un bout, de sa tête… Je ne saurais cependant pas dire comment elle était.

— Avez-vous songé à quelqu'un de votre connaissance ?

Le vieil homme considéra le gendarme avec des yeux déçus, et lui répondit d'une voix pleine de regret :

— Non !

— Hum…, fit Villard en se frottant le menton.

Il mit la description du paysan sur le compte de la frayeur et n'y fit plus allusion.

— Vous n'avez rien touché ?

— Non, murmura Gaby.

Le gendarme quitta sa chaise et alla prendre un vêtement chaud. Puis il s'adressa à Gaby et à sa femme :

— Je vais chercher deux de mes hommes. Attendez-moi ici, père Laurent, je reviens dans quelques minutes. Nous irons ensuite chez vous.

Le gradé s'empressa de passer la porte pour

ne pas laisser le temps au vieillard de réagir, au cas où ce dernier souhaiterait aller avec lui. Dès qu'il eut disparu, sa femme désigna le verre sur la table.

— Buvez-en un peu plus, ça vous fera du bien.

Mais le père Laurent refusa d'un signe de la tête ; il l'enfonça ensuite dans son cou. L'épouse lui proposa un verre de vin rouge, qu'il accepta cette fois. Il n'avait pas l'habitude d'en boire, mais il l'appréciait plus que le cordial et avait besoin d'un peu d'alcool pour se remonter, et même remettre ses idées en place.

— Quel drame ! s'exclama alors Pierrette Villard, en proie à une grande compassion même si elle savait que les relations entre les Laurent n'étaient pas des plus reluisantes.

Tout le monde au pays connaissait la mentalité du jeune homme, sa fainéantise et sa sournoiserie. Il avait une bien mauvaise réputation, contrairement à son père. Mais cela n'empêchait sans doute pas ce dernier d'éprouver de la peine. Perdre un fils unique ! La femme ne demeura cependant pas longtemps absorbée dans ces pensées ; sa curiosité avait en effet été éveillée par les paroles que le vieil homme avait proférées à propos du criminel.

— Vous dites que la tête de cet homme vous a semblé horrible ; comment cela ? lui demanda-t-elle. Qu'avez-vous pu en voir ?

— C'est surtout sa grosseur qui m'a effrayé. On aurait dit qu'elle était déformée, et puis son visage… Derrière ses mains, je n'ai pas bien vu… Un œil… qui faisait peur lui aussi, et puis, même de derrière, son crâne m'a paru énorme, sa tête… et puis…

Il se tut, plissa les yeux et parut se perdre dans un songe. Elle insista.

— Et puis, père Laurent ?

— Il courait en zigzag et poussait des grognements.

— Il pouvait être déguisé ?

— Je ne sais pas !

Il porta une nouvelle fois le verre de vin à ses lèvres et le vida d'un trait. Pierrette ne lui en proposa pas d'autre, pensant qu'il devait garder les idées claires pour affronter les instants à venir. Elle ne sut plus quoi dire et se rendit vers le fond de la cuisine pour s'adonner à ses tâches domestiques. De là-bas, elle lui cria pourtant :

— Vous savez, père Laurent, le meurtrier de votre fils sera retrouvé et il paiera son acte en prison.

Le vieil homme avait remis la tête dans le creux de ses mains ; il pensait à l'hypothèse qu'il avait échafaudée. En parlerait-il au gendarme ? Pouvait-il avouer qu'il soupçonnait son fils de trahison, et que c'était peut-être pour cette raison qu'on l'avait assassiné ? Puis, soudain, il se dit que ce crime n'avait peut-être aucun rapport avec celui d'Amélie ! Robert pouvait avoir d'autres relations que les miliciens, qui l'auraient impliqué dans une affaire dont il ne pouvait avoir idée ; peut-être des truands. Le vieillard décida alors de garder secrètes ses présomptions. Il méditait encore quand le gendarme vint le chercher. Ils sortirent ensemble et montèrent dans la voiture où attendaient les deux adjoints. Gaby les connaissait. En chemin, ils lui posèrent des questions similaires à celles de Villard, auxquelles il répondit sans apporter d'éléments nouveaux. Que pouvait-il ajouter, hormis ses présomptions ? Il n'était pas du genre à revenir sur ses déclarations ! C'est seulement quand les gendarmes auraient découvert le criminel qu'il saurait s'il avait eu raison. Pendant le trajet, il songea souvent au couteau, un indice qui mènerait peut-être au criminel.

Gaby trouva bref le retour à la ferme, en comparaison avec l'aller. Pour sûr, en voiture on fait vite du chemin ! Quand les phares éclairèrent la cour, il ressentit une grande appréhension à l'idée de retourner dans l'étable où gisait Robert. Quand Villard le dispensa de cette épreuve, il insista pourtant pour les accompagner. Il éclaira l'étable, et ses yeux se posèrent directement sur le cadavre, étendu devant les deux vaches qui s'étaient couchées sur leur litière ; l'arme du crime était enfouie sous l'une des bêtes. Il dut s'avancer pour la faire lever ; passant près de son fils, il détourna les yeux. Puis il alla se planter vers la porte et regarda faire les gendarmes dans la pénombre ; ils examinèrent longuement le cadavre sans le toucher. Le chef Villard s'accroupit ensuite près de l'arme, la ramassa et la fit glisser dans un tissu. Il revint vers Gaby et lui demanda :

— Vous connaissez ce couteau, père Laurent ?

— Non. Tout ce que je sais, c'est qu'il n'est pas à moi.

L'un de ses subordonnés s'approcha à son tour :

— C'est un couteau pour découper ; avec une lame comme ça, votre fils ne pouvait en réchapper ! Hélas, n'importe qui peut avoir chez lui un couteau de ce genre.

— Hum, fit Villard, on ne peut visiter tous les foyers du pays et vérifier leurs tiroirs. C'est bien l'arme du crime, mais elle ne nous mène à rien pour l'instant !

Il s'adressa à Gaby.

— Savez-vous si votre fils avait des relations cachées ?

— Que voulez-vous dire ? interrogea le vieil homme, inquiet.

— Par exemple avec des gens peu fréquentables…

— Il ne me confiait pas grand-chose, le Robert ; nous ne nous entendions pas bien.

Laurent venait de se permettre cette confidence, sachant bien que tout le monde dans la Valny était au courant de leur mésentente.

Plus d'un habitant de Lieudieu ou de Chazelle y avait fait allusion par le passé !

Quelques instants s'écoulèrent dans le silence. Villard consulta sa montre et déclara :

— Nous devons fouiller votre maison, père Laurent. Votre fils avait-il une chambre à lui ?

Le vieux hocha la tête. Il était prêt à se plier aux formalités. Il pensa que le chef Villard pouvait entamer ses perquisitions sans avoir averti du meurtre sa hiérarchie, injoignable à cette heure. Il pensa aussi que les démarches pour l'enterrement se feraient dès le lendemain matin. Et soudain, il réalisa que la vache qu'avait commencé de traire Laurent avait le pis encore plein. Il fallait la traire, et mettre le dernier bidon de lait dans l'abreuvoir. Il en fit part aux gendarmes, qui éloignèrent le cadavre. Quand le travail fut terminé, ils le suivirent dans la cuisine, où les chiens se manifestèrent. En caressant l'échine de l'un d'eux, Villard demanda :

— Ils étaient ici, ces deux-là ?

— Oui, comme tous les soirs. Ils n'ont rien entendu. Quand je suis retourné à l'étable, je ne les ai pas sifflés ; ils dormaient tranquillement devant la cheminée.

Il alla chercher leur gamelle sur le bord du fourneau et trempa le doigt dans la pâtée pour vérifier la température. Comme elle était encore tiède, il déposa le tout sur le sol et les chiens se jetèrent dessus. Puis il ajouta une bûche dans le fourneau, tandis que Villard et les deux adjoints l'observaient, apitoyés. L'horloge sonna huit coups qui résonnèrent étrangement dans le coffrage de merisier. Jean-Jacques Villard posa sur la table le couteau trouvé dans l'étable et l'examina à la lumière de la lampe. Il remarqua soudain une estampille très fine sur le revers du manche. Il s'agissait de deux lettres : « J » et « V ». « Nom de Dieu, s'écria-t-il, il y a des initiales gravées ! » Les deux autres se penchèrent sur le couteau et considérèrent les ciselures à leur tour.

— J. V. ? Qui est-ce ? fit le plus jeune.

Ils cherchaient dans leur mémoire un nom commençant ainsi. Gaby, lui, avait aussi les yeux sur l'arme, mais il ne paraissait pas aussi pensif, pour la bonne raison qu'il avait déjà deviné à qui appartenait l'objet. Mais il ne révéla rien, toujours fidèle à l'objectif qu'il s'était fixé. La seule chose qu'il se demandait, c'était s'il avait raison ou tort. Villard annonça qu'ils devaient fouiller la chambre de Laurent, puis d'autres endroits de la maison s'ils ne trouvaient rien. Le vieillard les conduisit à l'étage ; tandis qu'ils entraient dans la chambre de son fils, il demeura dans l'embrasure de la porte, certain que leurs fouilles seraient vaines. Il fut grandement surpris quand l'un des gendarmes, allongé par terre devant le lit, s'écria :

— Chef, il y a une boîte ici !

Tandis qu'il extirpait l'objet de sous le lit, Gaby passa le seuil et les deux autres s'approchèrent. Villard s'en empara et l'examina. Il s'agissait d'une boîte en fer de trente centimètres de long sur quinze de large et dix de haut.

— Cette boîte est-elle à votre fils ? demanda le brigadier-chef à Gaby.

— Je ne crois pas, répondit le vieil homme, je ne l'ai jamais vue.

Sans hésiter, le brigadier souleva le couvercle qui n'était pas cadenassé. Les huit paires d'yeux s'écarquillèrent devant le contenu de la boîte : des billets de banque empilés. À ce moment, le vieil homme crut son fils impliqué dans une affaire d'argent qui n'avait rien à voir avec la dénonciation d'Amélie Viscomte. Tout s'embrouillait dans sa tête. Le pauvre ne comprenait plus rien. Décontenancé, il regardait Villard qui soulevait les liasses. Le gradé dégagea tout à coup un feuillet.

— Un reçu ! s'écria-t-il dès qu'il l'eut parcouru. Pour l'Auberge du lac ! Nom de Dieu ! Amélie Viscomte !

Le brigadier s'assit au bord du lit, visiblement interloqué. Pourtant, tout se faisait plus clair dans son esprit. Plusieurs fois dans la soirée, il avait songé à l'aubergiste, mais sans faire le lien entre son meurtre et celui du fils Laurent, même si leur proximité avait frappé son inconscient. Auparavant, il déplorait seulement d'avoir eu sous les yeux deux victimes en deux jours. À présent, plus de doute : ces crimes étaient liés ! Il comprit également que les initiales gravées sur l'arme du crime étaient celles du défunt mari de l'aubergiste, qu'il avait fort bien connu : Joseph ! Joseph Viscomte ! Le couteau venait donc de l'auberge ! Villard se tourna vers le vieil homme :

— Il y a ce reçu, et le couteau porte les initiales de Joseph Viscomte, le mari d'Amélie Viscomte.

Ses adjoints poussèrent une exclamation de surprise. Gaby demeura silencieux. Villard ajouta à son adresse :

— Votre fils est sans nul doute impliqué dans le drame d'hier matin. Ce dont on est sûrs aussi, c'est qu'il a volé l'argent d'Amélie Viscomte.

Gaby ne prononça aucun mot et le gendarme le considéra avec curiosité. Le vieil homme n'avait en effet manifesté aucun étonnement, aucune consternation ! Savait-il quelque chose ?

— Savez-vous où était votre fils dans la matinée d'hier ? interrogea Villard.

— Il a coupé du petit bois du côté de la combe de la Faye.

— En êtes-vous bien sûr ?

— Il était en train de le ranger quand je suis revenu de l'auberge, répondit Gaby, qui se rendait maintenant compte que l'alibi de son fils pouvait être remis en question.

Il avait certes vu des fagots sur le sol, mais rien ne prouvait que Robert les avait confectionnés durant la matinée. Il pouvait avoir défait les anciens, et Gaby avait cru que c'en étaient de nouveaux !

Villard avait noté l'absence de réaction du vieil homme quand il avait annoncé que Robert était impliqué dans le meurtre d'Amélie. Cela prouvait qu'il était lui aussi certain du fait, ou du moins au courant. Le gendarme mit donc de côté l'alibi de Robert. Il avait à présent en sa possession deux hypothèses, et deux mobiles pour le meurtre du fils Laurent : première option, quelqu'un savait que Robert avait dénoncé Amélie et lui avait fait payer sa trahison. Deuxième scénario, quelqu'un avait, avec Robert, volé l'argent d'Amélie et avait ensuite tué le fils Laurent afin de garder toute la somme pour lui. Laquelle de ces hypothèses était la bonne ? Qui était l'assassin ? Un résistant ? Un complice de Robert ? Qui pouvait bien avoir pris le couteau à l'auberge ? Le comble, c'est que le criminel avait abandonné l'arme dans l'étable, comme s'il ne craignait pas d'être démasqué grâce à cet indice ! Les pensées de Villard s'emmêlaient. Il y avait un mystère dans cette histoire ! S'il songeait à aller à l'auberge, il lui fallait d'abord interroger le père de la victime.

— Êtes-vous sûr de l'alibi de votre fils, père Laurent ?

Gaby hésita :

— Tout ce que je sais, c'est qu'il y avait des fagots par terre et que Robert était en train de les mettre en tas.

— Vous avait-il dit qu'il soupçonnait Amélie Viscomte d'héberger un maquisard ?

Cette fois, Gaby resta trop longtemps muet pour que Villard n'insistât pas.

— Allons, père Laurent, dites ce que vous savez ! Il n'y a aucun doute, votre fils est coupable dans cette affaire, et je sais que vous le savez ! Tout ce que vous direz servira à retrouver son assassin, et cela restera entre nous quatre !

Gaby s'assit près de Villard sur le lit. Il se racla la gorge :

— Je crois qu'il avait des soupçons, oui, mais il m'a dit hier matin qu'il ne savait rien.

— Vous avait-il parlé de son argent ?

— Non, mais je sais qu'il lui en devait. C'est le Fernand Chautard de Chazelle qui me l'a dit. Je comptais aller régler son ardoise.

— Savez-vous s'il avait des contacts avec les miliciens ?

— Une fois, Fernand Chautard m'a dit qu'on avait vu Robert à Lieudieu avec eux. Mais je ne pouvais croire que mon fils serait capable de trahir quelqu'un.

Villard resta un moment pensif, l'œil rivé sur le vieil homme. Depuis toujours, il ressentait de la sympathie pour lui, et il avait envie de le soulager de sa souffrance. Mais comment aurait-il pu y parvenir sans porter un jugement trop sévère sur son fils ? Il résolut de ne pas avoir de mots trop durs à son égard.

— Quelqu'un est-il venu chez vous ces derniers temps ? Quelqu'un qui aurait cherché à voir Robert ?

— Non ! Ses connaissances, il les voyait en dehors de la ferme.

— S'absentait-il davantage ces derniers temps ?

— Euh, non.

Le vieillard réfléchit quelques minutes, le front plissé, avant d'ajouter :

— Vous croyez à un complice ? Vraiment, je ne vois pas !

Villard réfléchit à son tour pendant que ses

adjoints le dévisageaient, l'air de ne rien comprendre à toute cette affaire. Le brigadier-chef revint sur le déroulement du carnage chez Amélie. Tous étaient morts : les miliciens, le jeune maquisard dans la cave, et l'aubergiste. Robert Laurent était là, sans doute avec son complice – pour sûr puisque l'argent avait été dérobé ! Mais qu'avaient-ils fait pendant la fusillade ? Et pour quelle raison le milicien avait-il tiré sur l'aubergiste ? Avait-elle vraiment sorti avant lui une arme de derrière son comptoir ? Ah, le gendarme avait l'impression que ni l'une ni l'autre de ses hypothèses ne tenait debout ! Qui était l'assassin de Robert Laurent ?

— Tâchez de vous rappeler ! lança-t-il à Gaby. Êtes-vous bien sûr de ne pas avoir vu le criminel ?

Le vieil homme soupira.

— Oui, j'en suis sûr.

— Quand il est sorti de l'étable, vous l'avez pourtant vu courir !

— Oui, mais il faisait sombre, il allait trop vite et il a disparu vers le raccourci.

— Quel raccourci ? demanda Villard, subitement intrigué.

— Celui de l'auberge, répondit Gaby, qui comprit seulement maintenant que le fuyard avait pris la direction de l'auberge.

— L'auberge ? Ce raccourci mène donc à l'auberge ? Nulle part ailleurs ?

— Non, nulle part ailleurs : c'est par là que mon fils s'y rendait, et moi aussi !

Villard se leva d'un bond, convaincu cette fois que la seule chose à faire était de se rendre sur les lieux. Peut-être y trouverait-il la clé du mystère !

— Tu prends le véhicule, ordonna-t-il à l'un de ses hommes, et tu nous attends devant l'auberge. Nous deux, on va y aller par le raccourci !

Le gendarme se tourna vers Gaby.

— Combien de temps faut-il pour gagner l'auberge à pied ?

— En marchant d'un bon pas, à peine un quart d'heure, répliqua le vieil homme du tac au tac.

— Bon, on y va ! Mais d'abord, nous allons transporter le corps de votre fils dans la maison. Demain matin, je procéderai aux formalités. Voulez-vous que l'on aille prévenir quelqu'un ce soir ?

Gaby fronça les sourcils, comme étonné par la question du gendarme. Il avait bien sa belle-sœur et son beau-frère du côté de Chazelle, mais il ne les avait pas revus depuis la mort de sa femme. Leurs relations, qui n'étaient déjà pas cordiales du vivant de son épouse, avaient cessé à son décès. Les deux sœurs s'étaient fâchées à cause d'une histoire de partage de la ferme paternelle. Gaby n'avait pas plus besoin de ces parents aujourd'hui que lorsqu'il avait dû veiller la défunte ! Il les préviendrait seulement du jour de l'enterrement de Robert, comme l'exigeaient les convenances.

— Je n'ai besoin de personne, murmura-t-il à l'intention de Villard. Sauf que…

— Sauf que ? l'interrogea le gendarme.

— Je ne pense pas que le criminel revienne ici, mais des fois… pour chercher l'argent ?

Villard fronça les sourcils, mais comprit l'inquiétude du vieux.

— Je ne le crois pas non plus, répliqua-t-il. Toutefois, quand nous aurons fouillé l'auberge, je vous enverrai Alphonse. Il passera la nuit ici.

Tandis que Gaby acquiesçait, Alphonse s'exclama :

— Comment allons-nous fouiller l'auberge, chef ? Elle est fermée à clé !

— Peut-être sera-t-elle ouverte, riposta Villard.

Si le meurtrier avait pris le couteau chez Amélie, il existait peut-être une autre clé que celle déposée chez le maire de Lieudieu, pensait-il. Durant ces dernières minutes, il avait mentalement passé en revue tous ceux qui avaient eu l'occasion d'entrer à l'Auberge du lac après le drame. Las, il n'avait pu distinguer un coupable parmi eux ! Il en avait déduit que le complice de Robert avait pu dérober un deuxième jeu de clés le jour du drame, avant de prendre la fuite. Mais tout cela n'était que suppositions !

Villard descendit l'escalier, la cassette dans les mains, les autres sur ses talons. Gaby demeura dans sa cuisine tandis que les gendarmes transportaient le corps dans la chambre. L'horloge sonna neuf coups quand ils s'en allèrent – Alphonse par la route, Villard et son deuxième adjoint à pied par la sente, bien enveloppés dans leurs parkas.

Comme la nuit était claire, ils n'allumèrent pas leurs torches avant d'arriver sous le couvert des arbres. Le grésil s'était remis à tomber, et là-bas, dans le vallon du lac, le vent hurlait de plus belle.

16

Secret ouvrit les yeux d'un coup. Il était presque sûr d'avoir perçu un bruit, mais comprit que c'était le chant des crapauds qui meublait la fin de son rêve. Il écoutait les batraciens de mai à juillet, du crépuscule au milieu de la nuit, tintements de clochettes et de lents grelots émanant des zones aquatiques du val. Cet air-là était si beau… Secret ne voulait pas croire qu'il était l'œuvre d'animaux aussi laids que ces crapauds qu'il voyait représentés dans les livres d'images. Puis il se disait qu'ils pouvaient bien être des musiciens, après tout. N'était-il pas peintre, lui-même ? La laideur extérieure n'empêchait pas le talent, ni chez les animaux ni chez les humains !

Le chant des crapauds avait fait place à

celui de la bise et aux vents coulis qui sifflaient sous les linteaux et les voliges de la grange. Secret regarda au-dehors et vit les branchages s'accrocher à la lune, comme s'ils voulaient la ramener sur la terre. Il se redressa dans la paille, attentif aux douleurs que le premier mouvement avait déjà réveillées. Mais il sentit qu'il avait repris les forces nécessaires pour accomplir son dessein. Il se leva, boitilla jusqu'à la porte et scruta la nuit afin de repérer son chemin, quand, soudain, il aperçut deux ronds de lumière dans le layon, à une centaine de mètres de là. Il s'appuya au jambage, plissa les yeux et tendit l'oreille. Rien d'autre que le souffle de la bise ! Mais les lumières approchaient et il était sûr qu'elles provenaient de lampes torches. Quelqu'un venait ! Le père Laurent avait sans doute vu où il s'enfuyait, et voilà qu'on le cherchait : il n'avait plus de temps à perdre ! Il fonça dans le pré, courant en amont pour rattraper le sentier. Les minutes lui semblaient longues et il n'avait pas recouvré autant de forces qu'il l'avait cru. Maintes fois il trébucha, et maintes fois la douleur irradia dans ses membres mutilés. Il se retourna et vit les faisceaux des lampes couper la nuit devant la grange. On allait fouiller les lieux ! Après sa dernière chute, il dut rester allongé dans l'herbe glacée, incapable du moindre mouvement. Des points blancs voltigeaient devant ses yeux, plus fins mais plus denses que le grésil. Il parvint enfin à se mettre debout, puisant plus dans sa force morale que dans son endurance physique, et atteignit le passage sous les buis. Il s'était écoulé plus de temps qu'il ne le croyait, car les faisceaux des lampes étaient de nouveau dirigés dans sa direction. Il pénétra dans le patio, longea l'auberge côté ouest, sans savoir que, derrière le porche, était garé le véhicule des gendarmes, dans lequel attendait l'adjoint de Villard. Secret se retourna une nouvelle fois et constata que ses poursuivants approchaient à vive allure. La peur le saisit. Il atteignait le seuil quand il entendit la portière de la voiture se refermer. Il s'empressa de pousser la porte et comprit qu'il n'avait plus le temps d'aller récupérer la clé dans le tiroir du buffet. Le nouvel arrivant lui tomberait dessus dans la minute. Tant pis ! L'important était de monter se cacher dans le réduit !

Il grimpa l'escalier, l'allure bridée par la

faiblesse et la douleur, avec l'impression de mettre un temps fou à se mouvoir. Il entra dans sa chambre et tira la minuscule targette fixée sur la porte invisible de l'alcôve et dissimulée sous les foulards et les écharpes d'Amélie. Une fraction de seconde, la terreur le paralysa, mais il se rassura aussi vite, car on ne soulèverait ces foulards qu'à condition de soupçonner une porte. Mais qui pourrait avoir de tels soupçons, puisque l'ouverture était camouflée dans la cloison ? Une fois à l'intérieur, Secret vérifia que le loquet de la porte dissimulée dans le fond de la penderie était bien tiré. Il s'allongea sur sa couche et adopta sa posture habituelle. Il respira un grand coup, emplissant ses poumons d'air avant de modérer sa respiration. Puis, la peur au ventre, il attendit la suite des événements. Un moment passa avant qu'il n'entendît arriver les gendarmes.

Villard et son premier adjoint avaient en effet atteint la cour ; Alphonse les y rejoignit dès qu'il aperçut leurs lampes. Il avait attendu derrière le portail avec une sorte d'angoisse, jetant des coups d'œil aux alentours obscurs. Lui aussi avait trouvé les minutes bien longues ! L'endroit, ordinairement agréable, lui apparaissait maintenant sinistre. Dans cette atmosphère de crime, son imagination divaguait ; il croyait entendre des bruits furtifs et voir derrière lui surgir l'assassin, ou le diable en personne. La description que le vieux Laurent avait faite du criminel ne lui disait rien qui vaille ! Bref, il avait été fort soulagé de voir arriver ses compagnons.

Avant toute chose, les gendarmes allèrent visiter l'annexe : malgré sa taille et sa hauteur, elle ne cachait personne. Ici, point de recoins encombrés derrière lesquels eût pu se cacher l'assassin – hormis quelques planches dressées contre un mur qui ne laissaient pas un espace suffisant pour fournir une cachette. Point d'étage non plus, ou de galerie où aurait pu monter l'homme-araignée ! Les trois hommes ressortirent pour gagner l'auberge. Ils la trouvèrent ouverte, à la grande surprise des deux adjoints. Quant à Villard, il n'était qu'à moitié étonné, puisqu'il avait présumé que le meurtrier pouvait posséder un double des clés. La porte ayant été fermée le matin même, il en déduisit que l'assassin était revenu à l'auberge avant d'accomplir son forfait – sans aucun doute pour y prendre l'arme. Mais pourquoi ce couteau ?

Le brigadier-chef, trop pressé de percer le mystère, ne se creusa pas davantage la cervelle : il trouverait peut-être une piste derrière ces murs. Alphonse découvrit l'interrupteur et la lumière se répandit dans la grande salle. D'un signe bref, Villard lui conseilla la prudence, ainsi qu'à Albert Deschamps. Tous trois s'emparèrent de leur pistolet et commencèrent l'inspection, sans s'éloigner les uns des autres. Comme il était logique d'entrer dans le cellier après avoir visité la salle, ils en firent rapidement le tour et descendirent ensuite à la cave ; ils n'y trouvèrent rien d'autre que le décor qu'Amélie y avait composé. Il ne restait plus que la cuisine. Villard comptait, en fouillant les buffets, y trouver des couteaux jumeaux de celui du crime. Mais ce qu'il vit en entrant le stupéfia bien davantage : les deux lipomes !

— Nom de Dieu, qu'est-ce que c'est que ça ? s'écria-t-il tandis que les deux autres poussaient des exclamations d'horreur.

Ils s'approchèrent de l'amas sanglant, les yeux exorbités rivés sur les protubérances. Ils voyaient bien comme de la chair et de la peau, mais ne pouvaient comprendre d'où tout cela provenait et pourquoi ça se trouvait là.

— On dirait qu'on a découpé un cadavre ! Et qu'on a oublié de jeter ces morceaux ! Quelle horreur ! murmura Alphonse d'une voix étranglée.

Villard se pencha et examina les lipomes de plus près. La peau semblait celle d'un être humain. Quant à ce qu'elle recouvrait ! Rien de bien ressemblant à de la chair : plutôt une sorte de matière adipeuse jaunâtre… Le briga-dier-chef était bien incapable d'identifier cette chose. Seule certitude : à voir les marques d'excision, on avait détaché cette protubé-rance d'un corps sans doute humain ! Le gradé considéra la cuvette d'eau rougie de sang, les lambeaux de bande, les linges sales et les épingles de sûreté éparpillées. Il se redressa et laissa échapper un gros soupir.

— C'est quoi ces trucs, d'après vous, chef ? demanda Deschamps.

— J'en sais fichtre rien ! On dirait des morceaux de graisse humaine.

— Qu'est-ce que ça fout là ?

— Je ne le sais pas plus que toi, répliqua Villard, agacé.

Il aurait tant aimé savoir de quoi il s'agissait… Ce qu'il imaginait, il ne pouvait y croire ! Car si c'étaient des bouts de cadavre, pourquoi n'avaient-ils trouvé que ces deux-là dans la cuisine ? Où étaient les autres ? Ils avaient fouillé tout le rez-de-chaussée et n'avaient rien trouvé ! Villard songea alors à l'étage et redouta ce qu'il leur réservait. Il avait à présent hâte d'y monter, mais les tiroirs eux aussi attiraient sa curiosité. Se dirigeant vers le buffet, il lança à ses subordonnés :

— Laissons tout ça tel quel. Demain matin, à la première heure, je préviendrai le procureur et le médecin légiste. Ils nous éclaireront !

Le brigadier-chef ouvrit un tiroir, remua les ustensiles qui se trouvaient à l'intérieur, puis il plongea les yeux dans un deuxième casier. Il émit un sifflement et en sortit un couteau identique à celui du crime, gravé des initiales « J. V. » Les deux autres écarquillèrent les yeux.

— Le criminel l'a donc bien pris ici ! s'écria le jeune Alphonse.

Il promena aussitôt un regard alarmé autour

de lui et serra les doigts sur son arme, tandis que Deschamps, l'air visiblement angoissé, demandait à Villard :

— Croyez pas qu'il faudrait aller voir là-haut ?

— C'est bien ce que je pensais, figure-toi, riposta son chef en lorgnant sur l'escalier.

Il éleva son pistolet à hauteur de ceinture. Les deux autres lui emboîtèrent le pas, eux aussi le doigt sur la gâchette. Ils gravirent lentement les marches, les sens en alerte, sourcils froncés et fronts plissés, la respiration saccadée. Dans le couloir, Villard hésita avant d'ouvrir une porte. Il choisit celle de gauche et ils se retrouvèrent tous trois dans l'ancienne chambre de Berthe. Sur les meubles, les draps blancs faisaient penser à des fantômes. Il fallait soulever les tissus. Dessous, les gendarmes redoutaient de dénicher des échantillons de graisse semblables à ceux du rez-de-chaussée. Mais ils ne cachaient rien d'autre que du beau mobilier ciré. La fouille fut vaine. Les forces de l'ordre continuèrent sur leur lancée, entrant dans les autres chambres situées sur la gauche du couloir ; elles étaient toutes vides, et les deux situées sur la droite également ! Venait celle d'Amélie. Tandis que ses adjoints allaient fureter vers l'écritoire et la penderie, Villard s'avança près du lit, sur lequel il avait tout de suite aperçu le cahier abandonné par Secret. Il l'ouvrit et lut quelques mots sur la première page ; ils lui indiquèrent qu'il s'agissait du journal de la pauvre femme. Il songea que ces écrits contenaient peut-être la clé du mystère, mais il avait pour le moment autre chose à faire que de se plonger dans la lecture. Il glissa le cahier dans la grande poche intérieure de sa parka et poursuivit la fouille avec ses adjoints. Ces derniers examinaient avec soin la penderie, loin de penser que derrière la cloison se trouvait une alcôve secrète. Ils déplacèrent les vêtements sur les cintres, les piles de draps et de linge, remuèrent des cartons remplis d'objets ayant appartenu à l'aubergiste et à son défunt mari : un rasoir et un blaireau, une montre-bracelet, une pipe… De son côté, Villard était las et déçu de ne rien trouver qui les aurait menés sur une piste.

Néanmoins, pour la énième fois, il leva les yeux sur les tableaux et dessins accrochés aux murs. Leur grand nombre l'intriguait, et quelque chose d'autre encore – sur l'un d'eux en particulier, qui représentait une scène de fête, vue d'en haut. On y voyait des personnages avec leurs crânes brillants ou chevelus, des hommes et des femmes, les bras tendus et les jupons qui s'envolaient, les parties supérieures de maints objets, la table couverte de victuailles, notamment de volailles aux cuisses ouvertes, aussi parfaitement dorées par la peinture que par la cuisson. Dans la lumière des bougies et des lampes, le soufflet de l'accordéon jetait çà et là des notes de musique représentées en bleu foncé. Villard, qui reconnaissait la grande salle de l'auberge, ne comprenait pas la raison de cette vue du dessus. Il la contempla encore et finit par en déduire que le peintre l'avait représentée comme s'il avait surplombé la scène, depuis l'étage peut-être. Le gradé jugea l'idée curieuse et se demanda si Amélie Viscomte était le peintre en question, ce qui l'étonnait – à moins qu'elle n'eût des talents cachés !

Il considéra les autres œuvres : des toiles de maître, dont les perspectives et lignes de fuite étaient, cette fois, parfaites, extraordinaires ! Il s'agissait principalement de paysages. La plupart étaient entourés d'une brume opaque dont la présence fit encore s'interroger le brigadier. On aurait cru que l'artiste regardait le paysage à travers une fente. Le chef Villard ne fit pas tout de suite le rapprochement entre les toiles et le paysage qui s'étendait derrière les fenêtres de l'auberge. Secret y avait en effet apporté quelques modifications – sa touche person-nelle, en quelque sorte : il avait par exemple surélevé les collines, donné plus d'exubé-rance aux feuillages. Encerclées par la même brume, les vues du lac laissèrent cette fois penser au gendarme qu'Amélie était bien l'auteur des peintures. Il n'avait relevé aucune signature, mais en se penchant, il aperçut deux lettres accolées, formant le mot « Il » – la signature de l'auteur, sans doute. Qui était donc ce « Il » ? Amélie ? Mais pourquoi avoir signé « Il » ? Et comment aurait-elle trouvé le temps de réaliser tant de tableaux ?

Alphonse s'était approché de Villard.

— On va dans la chambre d'à côté, chef ? demanda-t-il.

Dépité que son second ne portât pas

d'intérêt aux tableaux, Villard désigna la toile qui représentait la fête et s'exclama :

— Tu ne trouves pas ça bizarre, toi ?

L'autre plissa les yeux en examinant la peinture, manière de faire croire à une étude sérieuse. Il pinça les lèvres. Très rapidement pourtant, il répliqua :

— On dirait que c'est vu du dessus, mais tous les artistes sont un peu bizarres. J'ai mon beau-frère qui s'est lancé dans la peinture abstraite. Si vous voyiez ça, vous trouveriez que c'est bien plus bizarre encore !

Villard n'insista pas et, marchant vers la porte, il bougonna :

— Il n'y a rien ici ! Nous y regarderons de plus près demain. Allons voir l'autre chambre.

Dès qu'il y pénétra, son regard fut attiré par d'autres tableaux semblables aux précédents, avec la même signature, et en aussi grand nombre. Là, d'autres scènes de banquets, des animaux sauvages ou domestiques dans leur aura de brume, un chat gris qui revenait souvent, la fontaine de l'auberge… et le visage d'Amélie Viscomte ! Elle aurait donc accompli son autoportrait ? La ressemblance était surprenante. Cette fois, Alphonse et Albert montrèrent leur admiration.

— Elle était fortiche ! s'écria le plus jeune.

— À moins que ce ne soit sa tante qui peignait, renchérit Albert Deschamps.

Villard n'avait pas pensé que ce pût être l'œuvre de Berthe Marcon, qu'il avait côtoyée avant même qu'elle ne vînt finir sa vie à l'auberge auprès de sa nièce. Il soupira et s'approcha d'un autre portrait qui avait quelque lointaine ressemblance avec elle. Rien à voir avec celui d'Amélie ! Laquelle des deux était l'auteur de tous ces tableaux ? « Peut-être les deux », se dit-il en son for intérieur, d'où cette signature étrange. Mais comme ses deux adjoints avaient entamé leur perquisition, il oublia les tableaux.

— Il n'y a pas de penderie ici ! annonça Deschamps, planté devant la fausse cloison où pendaient les foulards et les écharpes.

Sur une table, la radio. Sur une autre, divers livres, une boîte de craies et une autre de crayons de couleur. Sur le sol devant la fenêtre, un petit char en bois attelé à deux bœufs, taillés eux aussi dans du bois rouge. Villard s'agenouilla et fit rouler le jouet sur quelques centimètres. Il pensa qu'il avait peut-être appartenu à Joseph Viscomte quand il était enfant. Il se redressa en entendant une mélodie et vit Alphonse qui tenait une boîte à musique. Les notes cessèrent tandis qu'il fouillait le tiroir du chevet. Il y trouva une pomme de pin, un scarabée et un papillon desséchés, deux ou trois pierres veinées, un vieux crayon à mine, une photo sépia d'Amélie jeune, une autre de Berthe Marcon, jeune elle aussi, un missel, un chapelet… Rien de tout cela ne pouvait les mettre sur la piste du criminel. Le lit était défait, mais Amélie avait fort bien pu occuper cette chambre depuis le début de la guerre puisque que la radio s'y trouvait. Villard promena une dernière fois son regard sur les murs, et, suivi des deux autres, alla poursuivre son enquête dans les combles. Il était pourtant convaincu de ne rien y trouver non plus. Sa certitude se confirma, et ils redescendirent l'escalier. Sur le palier, il s'arrêta et lança à ses subordonnés :

— Bon, on a tout visité et rien trouvé ! Le coupable est sûrement chez lui maintenant.

Il s'adressa à Deschamps :

— Tu emmènes Alphonse chez le père

Laurent et tu reviens ensuite. Prends ton temps, bois un coup… Mais avant, vous devriez peut-être faire une ronde dans les environs de la ferme, et même jusqu'à Lieu-dieu. Des fois que vous verriez quelque chose… On ne sait pas si le fuyard n'est pas allé dans cette direction, et s'il n'est pas blessé ! Après tout, rien ne nous dit que le fils Laurent ne s'est pas défendu.

Ses adjoints le fixaient, l'air quelque peu étonné. Le brigadier-chef écarta alors le pan de sa parka pour leur montrer le cahier.

— J'ai trouvé ça. Sans doute le journal d'Amélie. Je veux y jeter un coup d'œil avant de quitter l'auberge : c'est peut-être lui qui nous livrera la clé du mystère.

Alphonse et Albert acquiescèrent. Sans piper mot, ils quittèrent Villard, pensant sans doute qu'il préférait lire le journal dans l'une des chambres plutôt qu'au rez-de-chaussée, à proximité des deux morceaux de graisse. Le gendarme entra dans la pièce plus proche ; c'était la dernière qu'ils avaient visitée et il avait remarqué un fauteuil près du lit défait. Il s'y installa, posa le cahier sur ses genoux et attendit quelques instants, les yeux fixés sur le portrait d'Amélie Viscomte. Quand il entendit ronfler le moteur de la voiture, il ouvrit le cahier.

Derrière la cloison, Secret retenait sa respiration et tendait l'oreille. Les bruits qu'il avait perçus trahissaient la présence d'un des gendarmes dans la chambre voisine. Sans doute Villard ! Grâce à la finesse de son ouïe, le fils d'Amélie savait même que le représentant de la loi avait pris place dans le fauteuil – mais que faisait-il donc ? Ce que l'adolescent n'avait pas entendu, c'étaient les paroles que le brigadier-chef avait échangées avec ses hommes sur le palier. Il n'en avait distingué que des bribes : « le père Laurent », « Lieudieu », « le fuyard »... Mystère.

Dans les membres mutilés de Secret, les picotements commençaient à devenir insupportables, mais il se réconfortait en se disant que Villard ne passerait pas toute la nuit ici. Il attendait probablement les deux autres, partis faire une ronde dans les parages. Comme il avait eu peur au moment où les forces de l'ordre fouillaient la penderie ! Mais sa mère avait si bien conçu la cachette qu'ils ne l'avaient pas découverte. Le fils de l'aubergiste se remémora les paroles de Villard à propos de ses tableaux ; il eut un pincement au cœur à l'idée qu'ils allaient flamber avec l'auberge. Amélie les aimait tant ! Mais qu'importait leur perte puisqu'elle était la seule à les contempler… Secret se consola en pensant que ses souffrances, morales et physiques, arriveraient bientôt à leur terme. Son but était atteint : Amélie était vengée ! Il entendit le toussotement de Villard et un bruit de papier, comme si quelqu'un venait de tourner une page. Il crut que le brigadier lisait un des ouvrages empilés sur sa table de chevet. Il ne songea pas au journal de sa mère – peut-être parce que les gendarmes n'en avaient point fait mention plus tôt, peut-être parce qu'il était trop éreinté, trop faible ou trop désireux d'en finir. Les yeux grands ouverts sur la cloison, il voyait à peine filtrer la lumière là où les lattes étaient moins serrées. Il aurait pu bouger et tenter de regarder dans un interstice, mais la chose était trop risquée. Le moindre bruit aurait trahi sa présence ! Il ferma donc les yeux et sa pensée retourna au passé.

Sa mère était plantée devant lui, les mains sur les hanches, un sourire pâle sur ses lèvres minces, ses yeux noirs et fiers sous son chignon précaire.

« Tu devrais signer tes tableaux », avait-elle suggéré. Il avait remué la bouche ; lisant sur ses lèvres, elle avait saisi sa réponse :

— Pourquoi ?

— Parce que c'est toi qui les as peints, mon petit !

— Cela ne servirait à rien, avait-il écrit en réponse. Même si j'inscris mon nom, personne ne saura jamais que c'est moi qui les ai peints, puisque je n'existe pour personne !

Elle avait acquiescé ; mais quelle tristesse avait traversé ses yeux ! Elle se mordait les lèvres comme une enfant prise en faute. Rapidement, il avait jeté quelques mots sur la feuille :

— Je ne peux éprouver de la vanité, contrairement aux artistes de ce monde que l'on admire. Ma seule vanité à moi, je l'éprouve devant tes éloges à toi, maman, quand tu me dis que c'est beau ! Je vais marquer mes toiles, mais permets-moi de choisir de signer « Il ».

Elle avait paru très surprise.

— Pourquoi « Il » ?

— Ma signature, écrivit-il, correspond à un personnage anonyme, donc « Il » convient tout à fait. Par ailleurs, je me vois parfois dans la peau de ce personnage : c'est comme si je sortais de mon corps pour me glisser dans le sien ; je sais que c'est moi, mais je me nomme « Il », tu comprends ?

— Je comprends… avait-elle murmuré.

Les larmes qui perlaient au bord des cils de son fils avaient attristé sa mère. Il avait alors eu l'idée de faire son portrait, pour lui faire plaisir et voir de nouveau la joie dans son regard. Il y avait des moments comme ça, entre eux, de profonde tristesse, où leurs pensées se rejoignaient en un point précis : celui de sa naissance. Mais avait-elle bien saisi l'image qu'il lui avait donnée de « Il », quand il se glissait dans sa peau après être sorti de celle de Secret ? Avait-elle une idée ou un aperçu de ce personnage ? Comme lui, voyait-elle seulement une silhouette et un visage sans traits ? Pouvait-elle comprendre que ces derniers fussent invisibles et pourtant pourvus d'une beauté inconcevable ? Oui, inconcevable

– mais qu'il imaginait, lui ! Combien de fois s'était-il dédoublé pour devenir « Il » ? Souvent, mais pas autant qu'il l'avait souhaité ! Dans la peau de « Il », il ressentait des émotions que Secret ne pouvait ressentir seul. Ainsi, quand il se voyait dans la salle lors des banquets, qu'il dansait sans ses lipomes, sans ses difformités, sans la lourdeur de sa tête, sans ses handicaps multiples, sans la laideur de ses traits… Quel transport ! Quand il courait dans le sentier et par le vallon, quand les eaux de la fontaine faisaient place à celles du lac et qu'il y nageait avec cette légèreté divine !

Le jeune garçon peinait habituellement beaucoup quand il peignait, à cause de ses malformations et des postures qu'il devait garder longtemps pour avancer dans son travail. Lorsqu'il avait fait le portrait d'Amélie, il avait toutefois eu le pouvoir, peut-être le privilège, de se transformer en « Il ». Il avait alors eu toute l'aisance, toute la grâce possible, et l'impression que sa main était guidée par une force surnaturelle. Quand il avait réintégré son corps de monstre, il n'avait pas éprouvé la même déception que les autres fois, parce qu'il savait désormais qu'un déclic lui permettrait encore d'être « Il ». Ce qu'il déplorait était que ce dernier fût sous le contrôle de son inconscient. Il n'apparaissait que sous l'effet d'une chose en lui qu'il ne connaissait pas. Était-ce une volonté si profonde qu'il ne parvenait pas à en avoir conscience ? Il était en train de se demander si elle opérerait au moment où il entrerait dans le lac, quand il entendit l'homme bouger de l'autre côté de la cloison.

17

Dix minutes s'étaient écoulées entre le moment où Villard avait ouvert le journal d'Amélie et celui où le cahier lui révéla la naissance de Secret. À cet instant, le brigadier-chef remua sur son siège et porta la main à sa bouche pour étouffer un cri de stupeur. « C'est pas Dieu possible », se dit-il après avoir déchiffré les mots qui décrivaient toute l'horreur de cet accouchement. Quand la suite lui révéla les difformités et protubérances du nouveau-né, il ne put s'empêcher de faire le rapprochement avec les bouts de graisse trouvés à la cuisine. Avec ses hommes, ils avaient songé à des bouts de cadavre, mais l'amas sanglant appartenait au monstre ! Les paroles de Gaby Laurent résonnaient dans son crâne : « Il courait d'une façon étrange, et il m'a semblé qu'il avait une tête horrible. » Ainsi le monstre avait grandi, il était encore vivant ! Il apparaissait comme le suspect numéro un dans la mort de Robert Laurent. Le vieux paysan avait vu la créature s'enfuir en direction de l'auberge. Il se cachait ici ! Mais où ? Ils avaient fouillé l'habitation de fond en comble !

Villard regarda autour de lui et tendit l'oreille. Quelques minutes s'écoulèrent pendant lesquelles la peur lui bloqua la respiration. À la certitude que le monstre existait et qu'il était le meurtrier de Robert s'ajoutait l'idée qu'il puisse se cacher dans les parages. Mais le gendarme était loin de penser que Secret se trouvait si près de lui ! Le brigadier eut envie de quitter le fauteuil, d'aller voir en bas ou dehors. Mais que verrait-il dans la nuit ? Où chercherait-il ? Les fossés étaient nombreux par ici, et le monstre pouvait fort bien avoir pris le large dans une autre direction ! Il fallait attendre le retour d'Albert. Villard retrouva un peu de courage en se disant qu'à cette heure, le monstre était en fuite : il n'allait pas attendre qu'on vînt l'arrêter ! Le gendarme baissa de nouveau les yeux sur le journal d'Amélie ; il avait le temps de poursuivre sa lecture en attendant le retour de son adjoint. Par ailleurs, sa curiosité était maintenant trop aiguisée. Il avait même l'espoir de découvrir la vérité entière grâce au cahier. Dix autres minutes passèrent, durant lesquelles Villard éprouva des émotions multiples et intenses, allant de la stupéfaction à l'apitoiement ; quand sa peur reprenait le dessus, il jetait un coup d'œil à la porte de la chambre, entrouverte sur le couloir obscur, puis revenait à sa lecture. L'horloge sonnait onze heures quand le gendarme arriva au passage où l'aubergiste décrivait la construction du réduit. Au onzième coup de l'horloge, alors que Villard découvrait toute l'explication, il lui sembla que son cœur déraillait et que sa respiration se bloquait. « Nom de Dieu », s'écria-t-il intérieurement. Il venait de comprendre que le monstre n'avait eu qu'une chose à faire : regagner sa cachette, là, à deux mètres de lui ! Le gendarme tourna la tête vers la cloison et se redressa doucement dans le fauteuil. Il ferma lentement le cahier et le posa sur le sol. Avec précaution, il tira son pistolet de sa ceinture et serra sur la crosse ses doigts tremblants et moites. Saisi de sueurs froides, il se dressa sur ses jambes flageolantes, recula de deux pas, pivota face à la cloison, et, levant son arme, lança :

— Sortez ! Je sais que vous êtes là !

Secret sut tout de suite que le gendarme s'adressait à lui. En effet, dès qu'il avait émergé de son songe, il n'avait cessé d'épier les bruits provoqués par les mouvements de Villard. Son intuition les avait correctement interprétés ; lorsque le brigadier avait cessé sa lecture et quitté tout doucement le fauteuil, le fils d'Amélie avait compris qu'il se passait quelque chose d'inquiétant. Dans la seconde, il avait réalisé que Villard avait découvert sa cachette en lisant le cahier qu'il avait oublié sur son lit. Puis le gendarme s'était manifesté. Ah ! Qu'allait-il faire ? Secret croyait être parvenu à son but ! Il en était si près !

Il se releva de sa couche, sans faire le moindre bruit.

— Je vous donne deux minutes pour sortir de derrière cette cloison ! poursuivit Villard.

Ayant peut-être lu le journal trop vite, le représentant de la loi ne songea pas à l'ouverture qui donnait sur l'autre chambre. Secret tira le loquet. Il avait deux minutes devant lui – peut-être assez pour gagner l'extérieur. De toute façon, même court, ce délai représentait sa dernière chance pour aller au bout de son projet. Il devait la saisir ! Avec l'habileté devenue sienne au fil des ans, le monstre se glissa dans la penderie, en ouvrit la porte, traversa la chambre de sa mère et sortit dans le couloir. Il se plaqua contre le mur et le longea sans cesser de regarder vers la porte de sa chambre, qui laissait filtrer de la lumière. Sans respirer, il passa devant la pièce et eut le temps de voir Villard de dos. Toujours sans bruit, il descendit l'escalier et atteignit la cuisine. Réconforté d'avoir réussi à s'échapper de l'étage, il pensa qu'une minute avait dû s'écouler depuis que Villard lui avait ordonné de se montrer. Il s'élança à travers la grande salle mais heurta une chaise. Le fracas troua le silence. Certain qu'il avait été entendu, Secret se jeta vers la sortie et s'enfuit dans la nuit.

Le brigadier-chef, qui avait effectivement entendu le raffut, comprit qu'il avait été produit par le fuyard. Il resta cloué sur place, sans savoir quelle décision prendre. Il mit quelques secondes avant de soulever les foulards qui cachaient la targette, puis entra dans le réduit et aperçut la couchette vide ainsi que la porte ouverte sur la chambre d'Amélie. Il s'élança à la poursuite du monstre, dévala l'escalier, son arme à la main, et s'arrêta net sur le seuil de l'auberge. Ses yeux plongèrent dans les noirceurs de la cour et du clos. Il extirpa alors sa lampe torche de sa poche et promena le faisceau de gauche à droite. Rien ! Villard éprouva une grande angoisse, ne sachant dans quelle direction se diriger. L'espace était grand et les ténèbres menaçantes. Rien qu'à l'idée d'être surpris par-derrière, il réprima difficilement un frisson. Le faisceau de sa lampe se fixa sur l'annexe, où il supposa que la créature pouvait être allée se cacher. Mais la seconde d'après, le gendarme se dit que Secret pouvait avoir repris la sente par laquelle il était venu. Il s'engagea finalement dans cette direction, le visage fouetté par la bise, dont il ne sentait pas la froidure. Dans le profond silence qui entrecoupait ses respirations, il perçut un grognement. Il comprit que le monstre se trouvait de l'autre côté de la muraille, fit demi-tour et s'élança vers le porche pour aller emprunter le chemin du lac.

De son côté, Secret trottait, son corps courbé sous l'effort. Il s'était relevé péniblement de sa chute et puisait dans ses dernières forces. Dans le clair de lune, il vit les premières berges du lac ponctuées d'aulnes. Pourrait-il atteindre l'eau avant que Villard ne l'eût rattrapé ? Le jeune garçon s'accrocha à un dernier espoir, lorsque la voix du brigadier perça la nuit :

— Arrêtez !

Le faisceau de la torche éclaira l'herbe et s'immobilisa sur lui. Secret fit encore un pas et entendit une autre voix :

— Que se passe-t-il ?

Deschamps était arrivé au moment où son chef empruntait le sentier. L'ayant aperçu dans la lumière des phares, il l'avait poursuivi de près. À présent, lui aussi distinguait le dos du monstre dans le faisceau des torches. Il murmura : « Qui est-ce ? », juste avant que Villard n'intimât une nouvelle fois à Secret l'ordre de s'arrêter.

— Si vous faites un pas de plus, je tire !

Secret pivota doucement et son visage apparut dans la lumière.

— Nom de… ! s'écria Deschamps.

Sa voix mourut au fond de sa gorge. Villard, lui, demeurait muet et regardait Secret avec des yeux aussi épouvantés que ceux de son adjoint. Il ne pouvait y croire ! Ça dépassait l'imagination ! Quelle face immonde ! Cette protubérance sur la gauche, cette bouche béante, cet œil sorti de son orbite comme celui du cyclope, et l'autre enfoncé ! Ces yeux horribles par lesquels Secret put voir toute la frayeur contenue dans les leurs ! Ils ne bougeaient plus, comme hypnotisés, tétanisés. Le monstre fit alors demi-tour et reprit sa marche. Qu'importait que Villard tirât !

— Arrêtez ! répéta ce dernier.

Secret poursuivit son chemin. Deschamps leva son arme et ajusta son tir, mais Villard tendit vivement la main vers lui et ordonna :

— Non, ne tire pas !

Après une seconde de battement, il ajouta :

— Je suis sûr que sa route est courte.

Tous deux regardèrent la créature s'éloigner en direction du lac, dont les eaux ondoyaient sous les reflets lunaires. Secret avait saisi au vol les paroles de Villard et il éprouva à son égard une grande reconnaissance, le temps de s'approcher de la berge. Puis il l'oublia, ainsi que l'autre homme. Le jeune garçon se trouvait à deux mètres de l'eau quand, devant lui, il aperçut « Il », celui qui, comme sa mère, l'avait tant de fois transporté dans un monde de bonheur. La silhouette légère et gracieuse avançait elle aussi vers le lac. À quelques centimètres du bord, elle se retourna, braqua son beau regard dans celui de Secret et lui adressa un sourire plus éblouissant qu'il ne l'avait jamais imaginé. Elle marcha ensuite à sa rencontre et se fondit en lui. Secret éprouva alors quelque chose de plus fort que l'extase. Il avança vers les eaux glauques et y plongea le pied sans sentir le froid. Une musique, jouée à la harpe, s'éleva merveilleusement des flots. Les notes vibrèrent à la surface et la créature songea que toutes les algues jouaient pour lui dans les tréfonds du lac. S'y joignirent des instruments à vent qui soufflaient des cieux, sortes de hautbois et de clarinettes, et, de part et d'autre du val, des flûtes et des trompes de chasse. Secret huma des senteurs extraordinaires. L'eau atteignit ses genoux, ses hanches, sa poitrine. Quand elle effleura le bord de ses lèvres, près de lui engloutir la bouche, le film de sa vie se déroula devant ses yeux comme un livre d'images à l'envers, jusqu'au plus lointain de ses souvenirs : il tendait les bras vers Amélie pour recevoir le jouet qu'elle avait acheté pour lui – le char et ses deux bœufs en bois, symbole de son insouciance enfantine. Combien il était heureux ! À cette époque, il ignorait encore son apparence monstrueuse, bien qu'il fût déjà habitué à ses lipomes, comme un ange à ses ailes. Il se jetait dans l'existence avec le désir de tout apprendre d'elle. Dans sa chambre, la lampe brillait comme le soleil, les rires et les voix de tante Berthe et de sa mère tintaient comme les notes de la boîte à musique. Leur présence était sa plus délicieuse nourriture. Quand il eut la permission de sortir au grand jour, il affronta les difficultés et accepta les interdits, se réjouissant des libertés et des plaisirs permis.

Il eut le grand privilège de connaître « Il » ; maintenant, à l'instant de mourir, « Il » et Secret ne faisaient plus qu'un ! Il avança et vit sa mère qui lui tendait les bras avant de

plonger dans la lumière. Elle lui dit « viens »
et il alla vers elle.

— Nom de Dieu ! murmura une nouvelle
fois Deschamps quand il ne resta plus qu'un
léger remous à la surface du lac.

L'adjoint se tourna vers Villard, qui
semblait ne pouvoir détacher ses yeux de
l'eau. Il avait les mâchoires crispées.

— Chef, qui était… ce monstre ?

— C'était Secret, le fils d'Amélie
Viscomte.

— Quoi ? Mais c'est pas possible… Mon
Dieu, c'est pas possible ! Chef !

Villard jeta un dernier regard sur le lac.
À l'endroit où le monstre avait disparu, l'onde
était inerte et noire. Il fit demi-tour dans la
sente, et répondit à Deschamps :

— C'est pourtant vrai !

Deschamps lui emboîta le pas.

— Mais alors ? C'est lui qui a tué Robert
Laurent ?

— Oui, c'est bien lui !

— Pourquoi ?

— Parce qu'il savait que le paysan avait
dénoncé sa mère aux miliciens.

— Comment l'a-t-il su ?

— Je l'ignore, murmura le brigadier. Et personne ne le saura jamais !

Marchant maintenant d'un bon pas, il se demandait ce qui avait bien pu se passer la veille à l'Auberge du lac. Secret avait-il assisté au carnage ? Avait-il vu Robert Laurent ? Où était la vérité dans tout ça ? Seul Secret la connaissait et il l'avait emportée avec lui dans le lac. Jean-Jacques Villard soupira :

— Rentrons maintenant, il faut nous reposer un peu. Demain sera une rude journée.

Il avait hâte, non d'aller dormir, mais de se replonger dans la lecture du journal. Sa curiosité était à son paroxysme. Il voulait savoir, tout savoir de cette créature venue du fond des ténèbres.

Photocomposition Facompo

Achevé d'imprimer par GGP Media GmbH, Pößneck
en novembre 2009
pour le compte de France Loisirs,
Paris

N° d'éditeur : 56818
Dépôt légal : novembre 2009

Imprimé en Allemagne